"道"를 아십니까?

2000년도에 나는 처음 이 사상을 접하였다
대순진리회에서 파생된 하나의 종파였고
관세음보살과 지장보살의 후신이 道의 주인 이였다.
그들과 인연이 되어서 "증산"선생을 알게 되었다.
7~8년간 수도 생활을 하게 되었고
그 일을 당한 후에 나의 의지와 상관없이
혼자서 그분의 사상을 공부하게 되었다.
혼자 공부 한지가 벌써 10년이 훨씬 넘어 버렸다.
선생께서 내어 놓으신 사상은 기존 종교도 철학 사상도
아니다. 해원으로 모든 마를 풀어 놓으시고
모든 천지만물이 해원 후에
새 기틀을 만들어주신 道인 것이다.
하늘과 땅 인간의 마음을 개조하여
새로운 세상에 맞는 이로 살아가게
모든 것을 제자리로 돌려놓으신 道인 것이다.

선생께서는 개인적인 욕망으로
사물을 접하신 적이 없으셨다.
선생 사후에 그를 따르던 사람들이
그 사상을 모태로 세력을 만들고
해원을 하였을 뿐이다.
나는 더 이상 선생께서
풀어 놓으신 道가
훼손되어서는 안 된다고
생각이 들어 이 글을 쓰게 되었다.

진실 된 문자에는 혼이 서려있어
이 글을 보는 이들은 진실 된 道를 얻게 되리라
나는 믿어 의심치 않는다.

모든 천지 만물의 해원이
끝난 후 새로운 세상을
100여년 전에 오시어 100여년 후의
미래를 그려놓으신 것이다.
천하를 한 가정으로 만드시고
신명과 서로 소통하여
미래의 기틀을 만들어 주신 것이다.
그 일을 천지공사라 애기한다.

천지가 생겨나고
신과 통하여 깨달음을
얻은 사람들이 문자를 만들면서
종교가 생겨나고 사상들이 생겨났다
그러나 사람들은 자신들이
생각하는 사상만이 옳다고 주장하며
다른 사상 속에 있는 진실들은
거짓이나 맞지 않는다고 이야기를 한다.
하지만 그 근본은 하나인데 말이다.

모든 종교에는 예언이 남아있다.
미래의 일을 적어 놓은 것이다.

하지만 선생께서는
예언을 남겨 놓으신 게 아니다.
과거에 오시어서
미래를 지으신 것이다.
어찌 그분을 하느님이라
생각하지 않을 수 있겠는가?

그분의 사상을 제대로
이해하는 이도 없었고
설명해 줄 수 있는 이도 없어서
인류를 위해 내어 놓으신
道가 너무나 훼손이 되어버려
길거리의 조롱거리가 되어버린 현실이
너무나 참담하여서
이 글을 쓰게 되었다.

인류를 위해 내어놓으신
선생의 道를 더 이상 훼손하지
않기를 바라며 이 글을 남긴다.

제발 더 이상은 죄를 짓지 않기를 바란다.

선생께서는
천지 공사와 해원 공사를 보시었다.

마음의 문을 열고

보아야 제대로 보인다.
그래야 진실을 볼 수 있다
감정이라는 늪에 빠지면
더 이상 진실을 보는 눈이 가려질 것이다.

해원 공사는
단주의 해원을
시작으로 신인의 해원까지...

천지공사는
하늘과 땅의 천지신명의
질서를 바로 잡으신 공사인 것이다.
해원을 이해한다면
지금 당신이 선생께서
내어 놓으신 道를 훼손하고 있지는 않는가?
곰곰이 생각 하여야 할 것이다
그리고 새로이
道를 만나는 이가 있다면
진실 된 마음으로 이 글을 보아야 할 것이다.

이 글이 나와 당신이 인연이 되어 깨달음을
얻어가는 시작점이 되기를 진심으로 바란다.

목차

1 해원

2종교

3.천문과 지리

4.전경속의 인물들

5.도인의 마음가짐

6.천지공사

1해원

해원이라 함은 원을 푸는 것이다.
신명은 중천에서 에너지로 떠다니며
그 기운에 맞는 사물과 접촉하여
그 형상을 이룬다.

선천 시대에는 상극이 지배하여
서로 이기려고만 하니 원을 못
이룬 신명들은 한을 품은 것이다.

산과 강 바다의 경계로
인종들이 생기고
문화가 생겨났으며
저 마다가 자기가 옳다고 하니
전쟁이 일어나고
세상은 참혹하게 변하여
멸망할 지경에 빠신 것이다 .

그리하여
원시의 모든 신 성 불 보살들이
회집하여 상제께 하소연을 하니
상제께서 직접 하생하시어
후천공사를 보심이로다.

해원이라 함은
원망을 푸는 것이다
원한을 품은 신명들의 해원을 함으로서
묵은 기운은
더 이상 나오지 않을 것이다.

본인 마음속에 있는
원망은 무엇인가?
묵은 기운을 떨쳐버리고
새로운 마음을 가져야 할 것이다.

1.원의 시작

대순전경의 말씀을 기초로 삼아 이 글을 쓴다.

공사 3장 4절

　　상제께서 七월에 "예로부터 쌓인 원을 풀고 원에 인해서 생긴 모든 불상사를 없애고 영원한 평화를 이룩하는 공사를 행하리라. 머리를 긁으면 몸이 움직이는 것과 같이 인류 기록의 시작이고 원(冤)의 역사의 첫 장인 요(堯)의 아들 단주(丹朱)의 원을 풀면 그로부터 수천 년 쌓인 원의 마디와 고가 풀리리라. 단주가 불초하다 하여 요가 순(舜)에게 두 딸을 주고 천하를 전하니 단주는 원을 품고 마침내 순을 창오(蒼梧)에서 붕(崩)케 하고 두 왕비를 소상강(瀟湘江)에 빠져 죽게 하였도다. 이로부터 원의 뿌리가 세상에 박히고 세대의 추이에 따라 원의 종자가 퍼지고 퍼져서 이제는 천지에 가득 차서 인간이 파멸하게 되었느니라. 그러므로 인간을 파멸에서 건지려면 해원공사를 행하여야 되느니라"고 하셨도다.

먼저 단주가
바라는 것은 무엇이었을까 ?
그리고 요 임금은 단주에게
무이구곡 산에서 왜 바둑을 두라 하셨을까?
창오에서 붕하신
순임금은 원망이 없을까?
두 딸인 아황과 어영의 원망은?

선생께서 풀어 놓으신 공사의 의미는 무엇일까?

단주가 바라는 것은
천하의 주인이 되는 것이다.
요임금이 순임금에게 천하를
양위한 이유는
순임금이 그 분이시기 때문 이였다

천자란
하늘의 아들이라는 뜻으로
백성의 아버지요
인류의 스승이라는 의미이다.

단주에게 바둑의 이치를
깨달으라고 하신 이유는
분열과 통일의 이치를 깨달으라는 이유였다.

분열은 소를 통일은 개를 상징한다.
소는 울타리에서 나가려 하고
개는 나가려는 소를 잡아가두는 의미이다.
그 이치를 깨달으라 하심은
소를 모는 주인이 견우이기 때문이다.

심우도의 소년은 견우를 의미하는 것이다.
그의 후신이 우순 임금 이였고
그에게 천하를 양위하신 것이다.
도교 삼청의 그림을 보면
노자가 소를 깔고 앉은 모습이 보인다.

그런데
천하의 주인이 되고자하는
단주는 원을 품어
우순 임금을 붕어하게 하니
하늘이 노해 선천에
물의 개벽이 일어났던 것이다.

하늘은 크게
네 개의 하늘이 있어 각 계절을 관장 한다.

공허한 하늘이 다스리는
천국에 처음에 극이 있어
태극이 되었고
음양을 만들어지고
양의가 만들어졌다.

그중 여름하늘의 주인이
옥황상제인 것이다.
후신으로
인간계인 하계에
태어나서 신농씨로
그리고 단주로
환생을 거듭하여
초패왕 항우로 태어났으나
유방에게 또 다시 천하가 돌아간다.
거듭되는 환생 속에
원망은 싸여 가고

그 겁기가 세상을 진멸케 하니
선생께서 해원을 통해
그에게 천자의 자리를 내어주심이라.

그로인해
道를 받들고 풀어나가는
진주가 되시니 그가 바로
태극도주인 조 정산 도주라.

천자의 자리에 있으면서
천하의 기틀을 마련하시고
원을 푸신 후에
천상계로 다시 돌아가셨도다.

다섯 신선이 바둑을 둔다함은
천하의 길을 이야기한다.
증산 선생과 정산선생이
바둑을 두는 형상이다.

그리고 두 신선은
훈수를 두고 있으니
한 신선은 명천의 주인인
석가불이고 한 신선은 명부의
본래 주인인 관성제군이다.
그리고 주인 신선은 조선의 주인인 것이다.
조선은 배를 의미하며 천하를 의미한다.

2.바둑의 의미

바둑은 여름의 기운인 분열과
겨울의 기운인 통일이
서로 대립하는 형상이다.

바둑판은 천하
그리고 우주를 상징하며
그 안에 세상의 비밀이 숨겨져 있다한다.

바둑의 시조는 단주라 하며 첫 분열의 시작이다.
첫 분열을 동양에서는 태극이라 얘기한다.
하지만 분열이 없이는
세상 삼라만상이 없기에 자연의 순리인 것이다.

공사 2장 3절

    또 상제께서 장근으로 하여금 식혜 한 동이를 빚게 하고
이날 밤 초경에 식혜를 큰 그릇에 담아서 인경 밑에 놓으
신 후에 "바둑의 시조 단주(丹朱)의 해원도수를 회문산(回
文山) 오선위기혈(五仙圍碁穴)에 붙여 조선 국운을 돌리려
함이라. 다섯 신선 중 한 신선은 주인으로 수수방관할 뿐
이오. 네 신선은 판을 놓고 서로 패를 지어 따먹으려 하므
로 날짜가 늦어서 승부가 결정되지 못하여 지금 최 수운을
청하여서 증인으로 세우고 승부를 결정코자 함이니 이 식

혜는 수운을 대접하는 것이라" 말씀하시고 "너희들이 가진 문집(文集)에 있는 글귀를 아느냐"고 물으시니 몇 사람이 "기억하는 구절이 있나이다"고 대답하니라. 상제께서 백지에 "걸군굿 초란이패 남사당 여사당 삼대치"라 쓰고 "이 글이 곧 주문이라. 외울 때에 웃는 자가 있으면 죽으리니 조심하라" 이르시고 "이 글에 곡조가 있나니 만일 외울 때에 곡조에 맞지 않으면 신선들이 웃으리라" 하시고 상제께서 친히 곡조를 붙여서 읽으시고 종도들로 하여금 따라 읽게 하시니 이윽고 찬 기운이 도는지라. 상제께서 읽는 것을 멈추고 "최 수운이 왔으니 조용히 들어보라" 말씀하시더니 갑자기 인경 위에서 "가장(家長)이 엄숙하면 그런 빛이 왜 있으리"라고 외치는 소리가 들리니 "이 말이 어디에 있느뇨"고 물으시니라. 한 종도가 대답하기를 "수운가사(水雲歌詞)에 있나이다." 상제께서 인경 위를 향하여 두어 마디로 알아듣지 못하게 수작하셨도다.

최 수운은
명천하늘의 딸인
직녀의 후신이다.
그리고 조선의 외선조이다.

단주는
여름하늘의 주인인 옥황상제이니
수운이 나중에 그 일을 지켜보고
겪은 증인이라는 것이다.

신계에서는 과거 현재 미래가 공존한다.
미래의 그 일을 보시고 말씀을 하시는 것이다.

예시 28절

　상제께서 종도들을 데리고 계실 때
　"현하 대세가 오선위기(五仙圍碁)와 같으니 두 신선이 판을 대하고 있느니라. 두 신선은 각기 훈수하는데 한 신선은 주인이라 어느 편을 훈수할 수 없어 수수방관하고 다만 대접할 일만 맡았나니 연사에만 큰 흠이 없이 대접만 빠지지 아니하면 주인의 책임은 다한 것이로다.
　바둑이 끝나면 판과 바둑돌은 주인에게 돌려지리니 옛날 한 고조(漢高祖)는 말 위에서 천하를 얻었으되 우리나라는 좌상(座上)에서 득천하 하리라"
고 말씀하셨도다.

한 고조는 조선의 직선조이며
사신 중에는 현무이다.
우리나라는 어떤 누군가가
주인인 나라가 아니고
온 백성과 천하가 주인인 나라이다.
불가에서 말하는 불국토가 이곳이며
성경의 실낙원이 이곳인 것이다.

바둑이 끝나고

해원시대가 끝나
도인들의 진정한 해원이 시작되고
우리나라의 기상이
온 천하에 널리 퍼짐을 말씀하심이다.

3.윤회 그리고 생과 사

윤회란 무엇인가?
그리고 삶과 죽음이란 . . .
원래 인간의 삶은 무한했다.

처음 천지가 창조되고 하늘은 그 기운에
맞는 대로 모든 것이 펼쳐졌다.
하늘에서는 별이 되고
땅에서는 생명이 되었다.

최초의 세계가 있으니 그곳은 하나님의 세계라.

서양에서는 그곳을 실낙원이라 불렀고
아담과 이브가 살고 있었다 한다.
동양에서는 그곳을 천국이라 불렀고
복희와 여와가 살고 있었다 한다.

그 곳은 윤회와 죽음이 없었다.
서로 제자리에서 욕심 없이 만족하면서
모든 별들은 제자리에서 찬란한 빛을 밝히고
모든 생명은 행복한 삶을 살고 있었다.
그 최초의 생명이 아담이다
그리고 복희씨이다.

그중 욕망이라는 기운이
처음 그 기운을 뿜어내며
하늘의 모습을 모방하여
새로운 세계를 만들었다.
은하수에 큰 기운들을 가두어 버리고
하늘의 주인이 되려하였다.
생명의 주인이 되려하였다.

여름하늘이 갈라지고
봄 하늘이 갈라지고
가을 하늘이 갈라졌다.
생명에게 저주를 내려
죽음이 생겨나기 시작 하였고
천국과 지옥이 생겨나게 되었다.

생명은 끝없이 탄생하며
죽음과 삶을 반복하면서 살게 되었던 것이다.
뫼비우스의 띠처럼 . . .

아담은 노아로 그리고 다윗왕으로
다시 태어났으며 황제헌원으로
노자로 진시황으로 조조로 다시 태어났다.
그리고 다시 하나가 된 세상을 만들려 하였다.
세 개의 하늘과 그들의 기운에서 나온 자식들도
태어나며 윤회를 계속했다.

남쪽하늘은 신농씨로 강태공으로 단주로 항우로 공자로
손권으로 ...
동쪽하늘은 석가불로 유비로 신종으로 단종으로 ...
서쪽하늘은 예수로 관운장으로 의종으로 ...
남쪽하늘의 첫 번째 자식은 치우천왕으로 한신으로 장비로
주회암으로...
동쪽하늘의 첫 번째 자식은 직녀로 유비의 아들유선으로
최수운으로...
서쪽하늘의 첫 번째 자식은 제갈 공명으로 측천무후로 이
마두 신부로...
그 외에 수많은 전생이 있었으나 생략하기로 한다.

분리된 세계의 하늘이 각기 생명의 주인이라 밝히며
자신들도 하계에 화생하게 된다.
그리고 자신들과 같은 기운을 가진
자식들 또한 하계에 화생하게 된다.
하계인 천국을 차지하기 위해
세계는 전쟁이 일어나게 되고
하늘의 제화가 일어나게 된다.

인류가 탄생하게 되고
윤회는 계속 되었다.
생명의 기운은 시간과 공간이라는
감옥에 갇히어서 그 기운을 잃어가고
죽음이라는 기운이 세상을 지배하게 되었다.

중천에 세계가 생겨나면서
각기 민족이 생겨나게 되었다.
하지만 그 근원은 하나이다.

동 서양의 인종이 틀리고
그 종교가 틀릴 뿐이지
그 근원은 하나이다.

여름의 하늘이 있어
명부를 만들고
윤회라는 띠에 생명을 가두면서
생과 사가 나누어지고
서로 끊임없이 순환하고 있는 것이다.

사람은 열 가지의 기운이 있어야
생겨나게 되니 그것이 삼혼칠백이다.
하늘에는 삼혼이 있고
땅에는 칠백이 있어
그 기운은 사람의 정신을 만든다.
그리고 감정이라는 것이 생겨나게 된다.

삼혼에 통하면 신계를
보게 되는 것이고
칠백에 통하면 땅의
이치를 알게 되는 것이다.

각 나라 지역마다
그 언어가 틀리고 피부 체형
습성이 모두 다르다.

신이란 색으로 발현한다.
그리고 언어 문자 감성
사상 등으로 표현이 되며
지금도 주위에서
모든 사물에 영향을 준다.

그리하여
세계가 생겨나게 되고
서로 다른 사상들이 생겨나게 되었다.
그 세계의 중심에는
조선이라는 나라가 있으니
천상계와 인간계를 잇는 혼이 깃든 나라라.

하늘의 도솔천과 연결 되어있고
도리천의 수호를 받는 곳이다.

道를 보고 싶거든
감정을 통제할 줄 알아야 한다.
그래야 보인다.
색을 보지 말고 투명해 져야한다.
그래야 보인다.

전생을 너무 궁금해 할 필요가 없다.
가끔 그 전생이 당신의 족쇄가
될 수 있음을 잘 알고 명심하기를 바란다.

선생께서 道를 내놓으시어
신명의 해원이 끝난 후에
모든 것을 원래의 자리로 돌려놓으시니
이제 오는 새 세상은 윤회가 없는
삶을 살게 되는 것이다.

四월 어느 날 김 보경의 집에서 공사를 행하시는데 백지 녁 장을 펼치시고 종이 귀마다 "천곡(泉谷)"이라 쓰시기에 그 뜻을 치복이 여쭈어 물으니 상제께서 "옛날에 절사한 원의 이름이라"고 가르쳐 주시고 치복과 송환으로 하여금 글을 쓴 종이를 마주 잡게 하고 "그 모양이 상여의 호방산 (護防傘)과 같도다"고 말씀하시니라.

그리고 갑칠은 상제의 말씀이 계셔서 바깥에 나갔다 들어와서 서편 하늘에 한 점의 구름이 있는 것을 아뢰니 다시 명하시기에 또 나가서 하늘을 보고 들어와서 한 점의 구름이 온 하늘을 덮은 것을 여쭈었더니 상제께서 백지 한 장의 복판에 사명당(四明堂)이라 쓰시고 치복에게 가라사대 "궁을가에 있는 사명당 갱생이란 말은 중 사명당이 아니라 밝을 명 자를 쓴 사명당이니 조화는 불법(佛法)에 있으므로 호승예불혈(胡僧禮佛穴)이오. 무병장수(無病長壽)는 선술(仙術)에 있으니 오선위기혈(五仙圍碁穴)이오. 국태민안(國泰民安)은 군신봉조혈(群臣奉詔穴)이오. 선녀직금혈(仙女織錦穴)로 창생에게 비단옷을 입히리니 六월 十五일 신농씨(神農氏)의 제사를 지내고 공사를 행하리라. 금년이 천지의 한 문(捍門)이라. 지금 일을 하지 않으면 일을 이루지 못하니라"하셨도다.

:신농씨의 제사를 지낸다함은
여름하늘의 저물어 감을 말씀하신 것이다.

천계 지계 인계는 서로 연결되어
있다는 사실을 당신은 아는가?
나와 똑 같은 존재가
세상에 존재한다는 사실을

삼혼은 하늘에 있어
나의 생각을 관장하고
칠백은 땅 위에서
다른 존재로 같이 삶을 살아간다.

때로는 동물 그리고 식물 등
그 하나의 존재가 사람인 것이다.

그러니 천지에 있는
풀잎 하나라도
소중히 다루어야 하는 것이다.

4.진정한 의미의 해원이란..

교운 1장 17절

 "이 세상에 학교를 널리 세워 사람을 가르침은 장차 천하를 크게 문명화하여 삼계의 역사에 붙여 신인(神人)의 해원을 풀려는 것이나, 현하의 학교 교육이 배우는 자로 하여금 관리 봉록 등 비열한 공리에만 빠지게 하니 그러므로 판 밖에서 성도하게 되었느니라"하시고 말씀을 마치셨도다.

신인의 해원이란.
지상에 천국을 건설하는 것이고
판 밖에서의 성도란
누군가에게 가르침을
받고 교육을 받은 것이 아니라
홀로 깨달음을 얻어
도를 완성함을 이른다.

교법 1장 9절

　지금은 해원시대니라. 양반을 찾아 반상의 구별을 가리는 것은 그 선령의 뼈를 깎는 것과 같고 망하는 기운이 따르나니라. 그러므로 양반의 인습을 속히 버리고 천인을 우대하여야 척이 풀려 빨리 좋은 시대가 오리라.

해원시대를 이해해야 한다.

선생께서 대원사에서
득도 하셨을 때
새들과 짐승들이 모여
해원을 구하였다고 전해진다.

그들의 해원이란 무엇인가?
짐승들은 사람이 되는 것이
원을 푸는 것이고
부자가 못된 이는
부자가 되는 것이 원을 푸는 것이다.

해원시대의 끝이 다가왔을 때
도인들의 해원이 있는 것이다.
당신은 지금 해원을 하고 있는가?
수도를 하고 있는가?

교법 2장 14절

　이제 각 선령신들이 해원시대를 맞이하여 그 선자 선손을 척신의 손에서 빼내어 덜미를 쳐 내세우나니 힘써 닦을지어다.

인연이 되어서 道를 닦는 이들이여 !!!
마음을 바로하고 진실을 바라보라
진실을 바라보고
바르게 수도하라...
그 마음을 간직하면
서로가 자석처럼 당기듯이
서로를 만날 수 있을 것이다.

교법 2장 15절

　"나는 해마를 위주하므로 나를 따르는 자는 먼저 복마의 발동이 있으리니 복마의 발동을 잘 견디어야 해원하리라"고 타이르셨도다.

해마란 마를 풀어
놓으심을 의미 한다

마란 탐욕 진노함 음란함 어리석음
(네 개의 하늘의 그릇된 기운)을 의미하며

복마란
그 마가 마음속으로 일어남을 말한다.

도인의 해원이란
道에 통하는 것이고
선생께서 내어놓으신
道는 후천을 의미 한다.

후천의 도인이 되어
해원하려 한다면
마를 다스려야 한다.

교법 2장 20절

　사람들이 예로부터 "길성 소조(吉星所照)"라 하여 길성을 구하러 다니나 길성이 따로 있는 것이 아니니라. 때는 해원시대이므로 덕을 닦고 사람을 올바르게 대우하라. 여기서 길성이 빛이 나니 이것이 곧 피난하는 길이니라.

하늘에는 길한 별이 있고
땅에는 명당이 있다.
선생께서 이제 그 명당을
사람에게 부여하셨으니
사람에게 바르게
대하시라는 말씀이다.

피난 : 재난을 피하여 있는 곳을 옮겨감.

권지 2장 37절

　상제께서 하루는 종도들에게 "진묵(震默)이 천상에 올라가서 온갖 묘법을 배워 내려 인세에 그것을 베풀고자 하였으나 김 봉곡(金鳳谷)에게 참혹히 죽은 후에 원(冤)을 품고 동양의 도통신(道通神)을 거느리고 서양에 가서 문화 계발에 역사하였나니라. 이제 그를 해원시켜 고국(故國)으로 데려와서 선경(仙境) 건설에 역사케 하리라"고 말씀하셨도다.

해원이라 함은
그 원망을 푸는 것이다.

그 원망이라 함은
이루고자 소망하는
바를 이야기하며

진정한 해원이란
후천을 건설하는
주역이 되는 것이다.

인류를 위하여
천지자연을 위하여
수도를 하는 것이다.

2.종교

종교란 각 문화와
인종에 따라 제각기 신을 만들고
수행을 하며 마음의 안정을 찾는 방법이다.
세상이 인종과 문화가 다를 뿐 그 근원은 하나이다.

처음 개벽이 일어났을 때
하늘은 시작하는 모든 신에게 원을 풀어주셨다.
그 기운이 하나의 덩어리가 되어서
그 기운과 통하는 인간과 형상에 접하여 언어를 만들고
사상을 만들고 날씨를 만들며 온갖 사물이 만들어졌다.

그중 가장 큰 기운이 봄 여름 가을 겨울이다.
사계절을 의미 한다 각기 동 서 남 북 으로
나누어지고 그 기운에 통한 사람과
하나의 사상을 만들었다.
그에 따라 동쪽에 동학 서쪽에 서학 남쪽에 유교 북쪽에
도교(불교) 크게 그 네 가지 사상이 만들어져 지금까지 우
리 인류의 정신 속에 있다.
물론 다른 종교도 많이 있으나 그 역시 근원은 하나이다.
북과 동은 서로 통하고 상생하며
남과 서는 서로 통하고 상생한다.
남과 북은 그 기운이 반대여서 상극을 이루며
태극을 이룬다.

道란 그 기운이 하나로 모임을 말하며
태극이 무극이 됨을 말한다.

1.불교

불교는 인도국의 석가모니
부처님이 창시하신 종교이다.
인도에서 나와 전 세계로
퍼지게 된 종교인 것이다.

그 사상의 본질은 무엇인가?

마음을 비워서 자신의
내면과 통하는 것이 아닌가!
지금 현세에는 그 사상이
그 본질을 잊어 신에게
복을 구하거나 악업을
소멸하는 용도로만 쓰여 지고 있다.

그 이유는
그 사상을 바르게 이해하고
깨달음을 얻은 이가 없기 때문이다.

불교의 세계관은
정말 신비롭다.
언어와 신의 이름만
다를 뿐이지

도교와 선교 서교와도
비슷한 부분이
없지 않아 많다.

불교의 천상계의 구조를 보면
크게 무색계 색계 욕계로 나뉘어져 있으며
인간계에 크게 영향을 주는 세계는 색계와 욕계이다.

석가모니 부처님은
욕계육천의 마왕(여름하늘)과의 담판에서
이기셔서 깨달음을 얻으신 것이다.

물론 그 이전에도
힌두교가 있었고
인도에서는 아직도 수많은
이들이 많은 신들을 숭배하고 있다.

그렇다면
불법의 본질은 무엇인가?

그리고 세상 사람들이
아직도 부처와 여러 신들을
숭배하는 이유는 무엇 때문인가?

색계에는 범천이 있고
불법을 수호 한다.

욕계에는 도솔천과 도리천이 있어
인간계와 연결이 된다.

도솔천은 천상계의 불국토를 의미하며
인간계의 미래를 암시한다.

그곳의 사람들은 욕망을 다스릴 줄
알며 道의 본질을 알고 있다.

인간계인 하계와
상응하는 곳이 금강산이다.
미래의 불국토가 생겨나는 곳이기도 하다.

천지가 생겨나면서
모든 것은 정해져 있는데
욕망에 사로잡힌 인간들이
깨닫지 못할 뿐인 것이다.

그러면 그 본질은 무엇인가?
마음을 닦는 것이다.
100일정도 궁금한 일에 집중하고
道를 진실 되게 수행하다보면 보이기 시작 한다.

행록 1장 19절

　상제께서 송광사(松廣寺)에 계실 때 중들이 상제를 무례하게 대하므로 상제께서 꾸짖으시기를 "산속에 모여 있는 이 요망한 무리들이 불법을 빙자하고 혹세무민하여 세간에 해독만 끼치고 있는 이 소굴을 뜯어버리리라" 하시고 법당 기둥을 잡아당기시니 한 자나 물러나니 그제야 온 중들이 달려와서 백배사죄하였도다. 그 뒤에 물러난 법당 기둥을 원상대로 회복하려고 여러 번 수리하였으되 그 기둥은 꼼짝하지 않더라고 전하는도다.

혹세무민 이란 무엇인가?

그 법을 이용하여 사람들을
홀리고 세상을 어지럽게 만드는 것이다.
자신이 무엇을 공부하여 신통력을
얻는 것이 중요한 것이 아니다.
근본적으로 자신이 마음을 볼 줄 알아야 한다.
그것이 참 수도이다.

행록 5장 15절

　四월 어느 날 김 보경의 집에서 공사를 행하시는데 백지 녁 장을 펼치시고 종이 귀마다 "천곡(泉谷)"이라 쓰시기에 그 뜻을 치복이 여쭈어 물으니 상제께서 "옛날에 절사한 원의 이름이라"고 가르쳐 주시고 치복과 송환으로 하여금 글을 쓴 종이를 마주 잡게 하고 "그 모양이 상여의 호방산(護防傘)과 같도다"고 말씀하시니라.

그리고 갑칠은 상제의 말씀이 계셔서 바깥에 나갔다 들어와서 서편 하늘에 한 점의 구름이 있는 것을 아뢰니 다시 명하시기에 또 나가서 하늘을 보고 들어와서 한 점의 구름이 온 하늘을 덮은 것을 여쭈었더니 상제께서 백지 한 장의 복판에 사명당(四明堂)이라 쓰시고 치복에게 가라사대 "궁을가에 있는 사명당 갱생이란 말은 중 사명당이 아니라 밝을 명 자를 쓴 사명당이니 조화는 불법(佛法)에 있으므로 호승예불혈(胡僧禮佛穴)이오. 무병장수(無病長壽)는 선술(仙術)에 있으니 오선위기혈(五仙圍碁穴)이오. 국태민안(國泰民安)은 군신봉조혈(群臣奉詔穴)이오. 선녀직금혈(仙女織錦穴)로 창생에게 비단옷을 입히리니 六월 十五일 신농씨(神農氏)의 제사를 지내고 공사를 행하리라. 금년이 천지의 한문(捍門)이라. 지금 일을 하지 않으면 일을 이루지 못하니라"하셨도다.

교운 1장 65절

또 어느 날 상제께서 말씀하시길 "선도(仙道)와 불도(佛道)와 유도(儒道)와 서도(西道)는 세계 각 족속의 문화의 바탕이 되었나니 이제 최 수운(崔水雲)을 선도(仙道)의 종장(宗長)으로, 진묵(震黙)을 불교(佛敎)의 종장(宗長)으로,

주 회암(朱晦庵)을 유교(儒敎)의 종장(宗長)으로, 이마두(利瑪竇)를 서도(西道)의 종장(宗長)으로 각각 세우노라"고 하셨도다.

예시 79절

  상제께서 하루는 공우에게 말씀하시길
  "동학 신자는 최 수운의 갱생을 기다리고, 불교 신자는 미륵의 출세를 기다리고, 예수 신자는 예수의 재림을 기다리나, 누구 한 사람만 오면 다 저의 스승이라 따르리라"고 하셨도다.

석가모니 부처님은
다섯 신선 중 봄 하늘의 주인이다.
봄을 관장하며
사람들에게 희망을 주는 하늘인 것이다.

유비로 환생하셨으며
조선시대의 단종 임금으로
환생하시었다.

대순진리회의
도전으로도 환생 하셨다 .

도전에 실려 있는
내용과 태극진경에 나와 있는

내용이 미묘하게 다른 점은 알고 있는가?
그분 또한 천자의 자리에서 해원하시어
道를 보여주시고 천상계로 돌아가셨다.
천지에 많은 원한들을 해원시켜 주시면서 ...

옛 말에 삼국지를 10번 이상 읽으면
道에 통한다는 말이 있었다.
그 안에는 여러 인물들이 있고
결국에는 사마 씨에
의해 통일이 이루어진다.

불교를 애기하는데
엉뚱한 소리라고 생각하지 말기 바란다.
모든 사상은 본디 하나에서 나온 것이다.

2.유교

유교는 땅의 도이다.
그리고 여름의 도이다.
염제인 강 신농씨가
처음으로 땅의 도를 열고
주나라의 강태공이
그 이치를 밝혀 놓았다
땅의 기운을 각기 땅에
봉하면서 그 도가 나오게 된 것이다.

예시 22절

  또 말씀하시기를
  "신농씨(神農氏)가 농사와 의약을 천하에 펼쳤으되 세상
사람들은 그 공덕을 모르고 매약에 신농 유업(神農遺業)이
라고만 써 붙이고 강 태공(姜太公)이 부국강병의 술법을
천하에 내어 놓아 그 덕으로 대업을 이룬 자가 있되 그 공
덕을 앙모하나 보답하지 않고 다만 디딜방아에 경신년 경
신월 경신일 강태공 조작(庚申年庚申月庚申日姜太公造作)
이라 써 붙일 뿐이니 어찌 도리에 합당하리오.
  이제 해원의 때를 당하여 모든 신명이 신농과 태공의 은
혜를 보답하리라"
고 하셨도다.

유교의 본질은 무엇인가?
삼라만상이 있어 그 이치를
모으는데 있다.
모든 것을 모아
그 이치를 하나에
집중하는데 있다.
"정일집중"이라한다.

문자에 실려 있는 기운을 깨달아
그 기운을 사물에 사용한다.
조상에게 제사를 모시고
명당을 찾아 복을 얻는다.

"예"를 중시하고 질서가 존재한다.
그 질서로 인해 법이 생겨나고
세상이 문란해지지 않는다.

후에 공자가 그 도를 깨달았고
주자가 그 도를 깨달았다.
그 법으로 공부하는 이들을
"선비"라고 부른다.
역이라는 것이 세상에 나왔고
그 이치를 주역에 담았다
그 괘를 풀어 길흉화복을 논한다.

지금까지 우리나라에서
제사를 지내는 풍습은
유교에서 비롯된 것이고
명당 터를 찾는 것 또한
유교에서 비롯된 것이다.

교운 1장 9절

　상제께서 어느 날 김 형렬에게 가라사대 "서양인 이마두 (利瑪竇)가 동양에 와서 지상 천국을 세우려 하였으되 오 랫동안 뿌리를 박은 유교의 폐습으로 쉽사리 개혁할 수 없 어 그 뜻을 이루지 못하였도다. 다만 천상과 지하의 경계 를 개방하여 제각기의 지역을 굳게 지켜 서로 넘나들지 못 하던 신명을 서로 왕래케 하고 그가 사후에 동양의 문명신

(文明神)을 거느리고 서양에 가서 문운(文運)을 열었느니라. 이로부터 지하신은 천상의 모든 묘법을 본받아 인세에 그것을 베풀었노라. 서양의 모든 문물은 천국의 모형을 본뜬 것이라" 이르시고 "그 문명은 물질에 치우쳐서 도리어 인류의 교만을 조장하고 마침내 천리를 흔들고 자연을 정복하려는 데서 모든 죄악을 끊임없이 저질러 신도의 권위를 떨어뜨렸으므로 천도와 인사의 상도가 어겨지고 삼계가 혼란하여 도의 근원이 끊어지게 되니 원시의 모든 신성과 불과 보살이 회집하여 인류와 신명계의 이 겁액을 구천에 하소연하므로 내가 서양(西洋) 대법국(大法國) 천계탑(天啓塔)에 내려와 천하를 대순(大巡)하다가 이 동토(東土)에 그쳐 모악산 금산사(母岳山金山寺) 삼층전(三層殿) 미륵금불(彌勒金佛)에 이르러 三十년을 지내다가 최 제우(崔濟愚)에게 제세대도(濟世大道)를 계시하였으되 제우가 능히 유교의 전헌을 넘어 대도의 참뜻을 밝히지 못하므로 갑자(甲子)년에 드디어 천명과 신교(神敎)를 거두고 신미(辛未)년에 강세하였노라"고 말씀하셨도다.

그렇다면 유교의 폐습이란 무엇을 의미하는가?
내가 우선이고 너는 나중 이다.
그런 의미가 아닌가?

쉽게 설명하면 "꼰대"를 의미한다.
자신의 생각만 옳다고 생각하는 것
시시비비를 따지려고만 드는 것
이해하려 하지 않고

이기려고만 하는 것
그것이 유교의 폐습이
아니면 무엇이겠는가?

서로 공경하고 이해하고
한 가족처럼 사랑하는 것이 아니라
자신의 주장이 옳다고만 여기는 것 …

하지만 질서를 유지하고
정리를 하는 것은 유교의 법이 최선인 것이다.
땅의 도 여름하늘의 도인 것이다.

그 안에는 의약과 부국강병의 술법이 숨어있으며
그것을 깨달은 이들은 법술에 통하였다.

교운 1장 65절

　또 어느 날 상제께서 말씀하시길 "선도(仙道)와 불도(佛道)와 유도(儒道)와 서도(西道)는 세계 각 족속의 문화의 바탕이 되었나니 이제 최 수운(崔水雲)을 선도(仙道)의 종장(宗長)으로, 진묵(震黙)을 불교(佛敎)의 종장(宗長)으로, 주 회암(朱晦庵)을 유교(儒敎)의 종장(宗長)으로, 이마두(利瑪竇)를 서도(西道)의 종장(宗長)으로 각각 세우노라"고 하셨도다.

선생께서는 주회암을

유교의 스승으로 삼으셨다.
공자가 아닌 주회암을
교의 스승으로 삼으신 이유는

공자는 여름하늘의 주인인
단주의 후신 이였기 때문이다.
인간계와 천상계를 연결하는 하늘에는
도리천이 있어 천주께서 관장 하신다.

그 아래에 네 개의 하늘이
있으니 각각 계절을 관장한다.
그 아래에 네 명의 자식이 있으니
이름 하여 사천왕이라 한다.

각기 다른 사상으로 자신의 도를
세상에 펼치니 그중에 여름의 도가 유교인 것이다 .

그 여름 하늘의
첫 번째 자식이 주회암이고
그 후신이 전명숙인 것이다.

예시 77절

선천에는 백팔 염주였으되 후천에는 백오 염주니라.

백팔염주는 108개의
하늘을 의미한다.
그리고 108개의
번뇌를 의미한다.

3개의 하늘(봄 여름 가을)이
해원을 마치고 신계로 돌아간 것이다.

3.서도

성경이 있고 예수를
천자로 주장하는 서양의 종교이다.
수행방법은 딱히 정해져 있지 않으나
믿음과 성경을 공부하는
것으로 수도생활을 한다.

유일신을 숭배하나
천사들과 악마들의 존재를 인정한다.
선과 악을 나누어
버리고 자신들의 생각하는 바는
선으로 반대 대는 바는
악으로 만들어 버린다.

검기가 서린 가을하늘의 도이다.

교운 1장 10절

　상제께서 교운을 펼치신 후 때때로 종도들에게 옛사람의 이야기를 들려주시니라. 그 사람들 중에는 강 태공(姜太公)·석가모니(釋迦牟尼)·관운장(關雲長)·이마두(利瑪竇)가 끼었도다.

유교 불교 서교 순으로
종통이 이어짐을 예시하고 있다.
유교는 불
불교는 나무
서교는 쇠

선생께서는
물의 이치로 오셨다
물에서 불이 나오고
불에서 나무가 나오며
나무에서 쇠가 나온다.
그리하여 후천에는 상극이 없다...

이마두를 서도의
종장으로 세우신 바도 위와 같다.

가을 하늘인 관운장과
그의 첫 번째 자식인 백호에게
그 도를 내어주시고
하늘로서 신계로 돌아가심이라.

전경의 모든 내용은 과거 현재 미래가 이어져있다.

4.동학

최 수운이 수도 후에
깨달음을 얻어 창시한 종교이다.

신선과 통하여 창시된
도이므로 선도라 부른다.

주문을 하고 부적을 쓰며
신분 차별이 없는 새로운 대동 세계를 외쳤다.

공사 1장 27절

   상제께서 순창 농암(籠岩) 박 장근의 집에 가셔서 종도들에게 가라사대 "이곳에 큰 기운이 묻혀 있으니 이제 그 기운을 내가 풀어 쓰리라. 전 명숙과 최 익현이 있었으되 그 기운을 쓸 만한 사람이 되지 못하여 동학이 성공하지 못하였느니라" 하셨도다.

그 기운이라 함은 무엇을 의미하는가?
그리고 쓸 만한 사람이란 …
땅에는 그 기운이 봉해져 있고
기운이라 함은 신명을 의미한다.

道를 공부하는 이들은
그 신명이 마음에 드나들 수 있는
큰 그릇이 되어야 할 것이다.

공사 2장 19절

   상제께서 十二월에 들어서 여러 공사를 마치시고 역도(逆度)를 조정하는 공사에 착수하셨도다. 경석·광찬·내성은 대흥리로 가고 원일은 신 경원의 집으로 형렬과 자현은 동곡으로 떠났도다. 상제께서 남아 있는 문 공신·황 응종·

신 경수 들에게 가라사대 "경석은 성(誠) 경(敬) 신(信)이 지극하여 달리 써 볼까 하였더니 스스로 청하는 일이니 할 수 없도다"고 일러 주시고 또 "본래 동학이 보국안민(輔國安民)을 주장하였음은 후천 일을 부르짖었음에 지나지 않았으나 마음은 각기 왕후장상(王侯將相)을 바라다가 소원을 이룩하지 못하고 끌려가서 죽은 자가 수만 명이라. 원한이 창천하였으니 그 신명들을 그대로 두면 후천에는 역도(逆度)에 걸려 정사가 어지러워지겠으므로 그 신명들의 해원 두목을 정하려는 중인데 경석이 十二제국을 말하니 이는 자청함이니라. 그 부친이 동학의 중진으로 잡혀 죽었고 저도 또한 동학 총대를 하였으므로 이제부터 동학 신명들을 모두 경석에게 붙여 보냈으니 이 자리로부터 왕후장상(王侯將相)의 해원이 되리라"하시고 종이에 글을 쓰시며 외인의 출입을 금하고 "훗날에 보라. 금전소비가 많아질 것이며 사람도 갑오년보다 많아지리라. 풀어 두어야 후천에 아무 거리낌이 없느니라"고 말씀을 맺으셨도다.

차 경석 종도에게
현무의 기운을 붙여 공사를 보시었다.

다음 생에 후천의 일꾼으로 쓰시려 하였으나
욕망에 사로잡혀 천자를 원하니
해원이 되어 버린 것이다.
道를 공부하는 이들은
자신의 마음속에 무엇이 있는지
보고 또 보아야 할 것이다.

道를 닦고 공부하는 목적이 무엇인지.
도통의 진정한 의미가 무엇인지...

권지 1장 11절

　상제께서 어느 날 경석을 데리고 농암(籠岩)을 떠나 정읍으로 가는 도중에 원평 주막에 들러 지나가는 행인을 불러 술을 사서 권하고 "이 길이 남조선 뱃길이라. 짐을 많이 실어야 떠나리라"고 말씀하시고 다시 길을 재촉하여 三十리 되는 곳에 이르러 "대진(大陣)은 일행 三十리라" 하시고 고부 송월리(松月里) 최(崔)씨의 재실에 거주하는 박 공우(朴公又)의 집에 유숙하셨도다. 공우와 경석에게 가라사대 "이제 만날 사람 만났으니 통정신(通精神)이 나오노라. 나의 일은 비록 부모형제일지라도 모르는 일이니라" 또 "나는 서양(西洋) 대법국(大法國) 천계탑(天啓塔)에 내려와서 천하를 대순하다가 삼계의 대권을 갖고 삼계를 개벽하여 선경을 열고 사멸에 빠진 세계 창생들을 건지려고 너희 동방에 순회하던 중 이 땅에 머문 것은 곧 참화 중에 묻힌 무명의 약소 민족을 먼저 도와서 만고에 쌓인 원을 풀어 주려 함이노라. 나를 좇는 자는 영원한 복록을 얻어 불로 불사하며 영원한 선경의 낙을 누릴 것이니 이것이 참 동학이니라. 궁을가(弓乙歌)에 "조선 강산(朝鮮江山) 명산(名山)이라. 도통군자(道通君子) 다시 난다"라 하였으니 또한 나의 일을 이름이라. 동학 신자 간에 대선생(大先生)이 갱생하리라고 전하니 이는 대선생(代先生)이 다시 나리라는 말이니 내가 곧 대선생(代先生)이로다"라고 말씀하셨도다.

대진 30리란 큰 군사의 진영이 완성되는데
30년이 걸린다는 것이다.
큰 군사의 진영이란 도통자리를 말하며
송월리(칠성) 최씨(관성제군)의 제실에 거주하는 박공우(명부)종도
와 차경석(현무)종도가 통 정신을 이룬다는 것은 이때 한마음을
이룬다는 것이다.
사천왕이 한자리에 모임을 말한다.

참 동학이란 !!
모든 이가 자신의
자리에서 만족을 느끼고
천지자연을 사랑하며
이웃을 사랑하고 나라를
지키는 보국안민이라 하였다.

선생님의 말씀을 따르고
도를 수행하여 일을 하는 도인은
영원한 선경의 행복을 누린다 하셨으니
어찌 설레 이지 않을 수 있겠는가!

3.천문과 지리

1.하늘 그리고 천문

서양의 천문을 보는 법은
"12 구궁도"를 중심으로 본다.

동양의 천문을 보는 법은
중국에서는 "순우 천문도"를
우리나라 에서는 "천상열차분야지도"를 중심으로
삼태성을 보고 28수를 확인하여 나라의
길흉을 확인하였다.

황실의 학문 이였던 것이다.
하늘의 별을 보고 인간계의 길흉을 보며
작게는 사람 크게는 나라 인류의 미래까지...
광계토 태왕때 쓰여 졌으며
태조 임금때 다시 발견이 되고
세종 임금때 연구가 이루어졌으며
숙종 임금때 완성이 되었다.

하늘에서 먼저 그 징조가 보이고
하계에는 나중에 그 일이 생긴다.
하늘의 중심에는 상제가 계시는
북극성이 있고 28수가 우주에 퍼져있다.

그 하늘에는 천자의 별이 있고
제왕 장상 시녀 등 수 많은 별들이 존재한다.

교법 3장 6절

　상제께서 가라사대 "만고 역신을 해원하여 모두 성수(星宿)로 붙여 보내리라. 만물이 다 시비가 있되 오직 성수는 시비가 없음이라. 원래 역신은 포부를 이루지 못한 자이므로 원한이 천지에 가득하였거늘 세상 사람은 도리어 그 일을 밉게 보아 흉악의 머리를 삼아 욕설로 역적놈이라 명칭을 붙였나니 모든 역신은 이것을 크게 싫어하므로 만물 중에 시비가 없는 성수로 보낼 수밖에 없나니라. 하늘도 노천(老天)과 명천(明天)의 시비가 있으며 땅도 후박의 시비가 있고 날도 수한의 시비가 있으며 바람도 순역의 시비가 있고 때도 한서의 시비가 있으나 오직 성수는 시비와 상극이 없나니라" 하셨도다.

"천상열차 분야지도"에서 이야기 하는
성수는 황제의 별을 호위하는 7개의 별이고
황제를 수호하는 제후의 별이다.

선생께서 성수로 그 신들을 보내시어
황제를 수호하게 하시니
시비와 상극이 없어지는 것이다.

하계에서는 후천진인을
수호하는 임무를 부여받은 것이다.

그들은 크게 칠성이며 중천계의 큰 신명들이다.
사람으로 환생하여서 그 일을 보게 만드심이다.

황제의 별은 황제 헌원을 애기한다하여
중국을 생각한다면 오산이다.
늪에 빠지지 말아라
문자와 언어의 늪에 ...
황제와 단군은 같은 사람이며
선천시대의 조상인 것이다.

교운 1장 48절

 최 덕겸·김 자현·차 경석 등의 종도들이 상제와 함께
있을 때 최 덕겸이 "천하사는 어떻게 되오리까"고 상제께
여쭈는지라. 상제께서 자 축 인 묘 진 사 오 미 신 유 술

해(子丑寅卯辰巳午未申酉戌亥)를 쓰시면서 "이렇게 되리라" 하시니 옆에 있던 자현이 그것을 해석하는 데에 난색을 표하니 상제께서 다시 그 글자 위에 갑 을 병 정 무 기 경 신 임 계(甲乙丙丁戊己庚辛壬癸)를 쓰시고 경석을 가리키면서 "이 두 줄은 베 짜는 바디와 머리를 빗는 빗과 같으니라"고 일러 주셨도다.

옛 선인들은 열 개의 하늘과 12개의 땅으로
역을 공부하고 천하사를 논하였다.

사람의 길흉을 보며
그 나라의 국운 그리고 천하의 운을 보았다.
운이라 함은 순환하는 에너지이며
사람에게는 그 색으로 표현되고 보여 진다.

어떠한 생각이나 사상으로도 보여 지며
피부색이나 체형 식습관 등으로 보여 진다.
인간의 장기와 중천의
칠성이 연결되어 있는 이유 때문이다.

천문이란 !
미래를 보고 하늘을 보는 학문이다.
선생께서 천지공사를 보시어
천문과 지리가 제자리를 찾는 것이다.
그것을 천지개벽이라 말한다.

지금도 하늘에는 수많은 별들이 존재한다.
보이는 것만 믿고 증명이 되는 것만

사실이라 인정하며 현재 과학을
신으로 모시는 지금의 사회에서는
허무맹랑하고 미신적인
대접을 받고 있는 것이 현실이다.

하지만 그 오랜 세월동안
우리를 지켜오던 학문을
미신이라 여기면 눈이 가려져
아무것도 보지 못할 것이다.

그리스 신화에 나오는

"프로메테우스"같은 사람이 되기를 바란다.

"에피메테우스"같은 사람이 아니라....

2.지리

땅은 산과 바다
그리고 바람 등 삼라만상의 터전이다
하늘의 삼혼과 우주가 만나 사람을 이루니
땅의 소중함은 얼마나 가치 있는 것인가!
우주가 생겨나면서 땅이 생겨나니
큰 기운으로 산과 바다 강이 생겨났다.
산과 강 바다를 중심으로 세계가
생겨나니 그 기운이 서로 다르고 색이 다르다.

우리나라에는 삼신산이 있어
금강산 지리산 한라산이 있다.
산을 볼 때에는 그 산에 서려있는 전설을 보라

그러면 지리에 대한 이해가 조금 쉬워진다.
산이란 큰 기운의 신을 의미하며
그 정기로 모든 생명 들은 그 영향을 받는다.

100일 수도라는 말이 있다.
그 산의 기운을 받으려 한다면 적어도
100일은 그곳에서 수도를 해야
그 기운을 받는다는 말이다.

전설이 서린 산도 있고
전설이 적게 서린 산도 있다.
우리나라 금강산에는 전설이 서려있으니
신계의 도솔천과 서로 통한다.

천지가 생겨나면서 모든 것은 이미 정해져있다.
세상 사람들이 욕망과 집착에 사로잡혀
바로 보지 못하는 것일 뿐이다.

지리학은 신농씨에서 시작이 되었으며
강태공이 땅에 그 신을 봉하면서
지리학이라는 학문이 나왔다.
땅에 봉하였다는 것은 무엇을 의미하는가?
문자에 그 힘을 봉하였다는 것이다.

지리학은 땅의 이치를 보는 학문이다.
땅의 이치란 모든 사물의 이치를 말하며
모든 사물의 이치란 그 사물에 서려있는
신의 원리를 말함이다.

하늘과 땅 그리고 사람은 모두 연결되어 있다.
사람이 하늘과 땅의 이치를 깨닫고 이해하여
언어와 문자가 만들어지고
사물이 만들어지면서 문명이 발전하게 되었다.

어떤 이는 신명과 통하여 학문을 내놓았고

어떤 이는 자신에 있는
내면과 통하여 학문을 내놓았다.

그 문자에는 힘이 서려있어서 그 기운으로
우임금은 비석을 세워 홍수를 막았고
허목은 동해의 해일을 비석으로 막았다.

지금도 지리학은 우리 생활에 쓰여 진다.
도로가 있고 지역의 경계가 있으며
각 지역마다 언어가 서로 상이하고
식습관이 틀리며 동 식물 등
모든 것이 서로 다르다.
민족마다 다른 점은 더욱더 크다.

풍수에 깨달음을 얻은
이들은 산에 비석을 세우고
물길을 돌렸으며 명당을
얻어서 복을 누리며 살아왔다.

때로는 전쟁에 이기기 위해
다른 나라의 정기를
끊어 버리는 일도
서슴지 않았다.

교법 3장 39절

　어떤 사람이 계룡산(鷄龍山)에 정씨가 도읍하는 비결을
묻기에 상제께서 이렇게 이르시니라. "일본인이 산속만이
아니라 깊숙한 섬 속까지 샅샅이 뒤졌고 또 바다 속까지
측량하였느니라. 정씨(鄭氏)가 몸을 붙여 일을 벌일 곳이
어디에 있으리오. 그런 생각을 아예 버리라."

:우리나라에 새로운
나라가 생기기도 전에
정기를 끊어 버린 것이다.

공사 3장 5절

　또 상제께서 가라사대 "지기가 통일되지 못함으로 인하여
그 속에서 살고 있는 인류는 제각기 사상이 엇갈려 제각기
생각하여 반목 쟁투하느니라. 이를 없애려면 해원으로써
만고의 신명을 조화하고 천지의 도수를 조정하여야 하고
이것이 이룩되면 천지는 개벽되고 선경이 세워지리라" 하
셨도다.

선생께서 천지공사를 보시어 해원으로서
신명을 조화하고 조정하시니
해원 후에 후천이 이루어진다는 말씀이다.
극과 극은 서로 통한다 하였다.

지금의 현실이 해원의 끝자락인지 아닌지
道를 공부하는 이는 세상을 보고
주위를 보며 신을 느끼고 이해할
줄 알아야 한다.

땅의 이치로 문자가 세상에 나왔으며
그를 깨닫는 이들은 부귀를 얻었다.
여름의 사상인 유교(땅)가 없었다면
우리는 아직도 문맹사회에 살고 있을지도 모른다.

예시 22절

　또 말씀하시기를
　"신농씨(神農氏)가 농사와 의약을 천하에 펼쳤으되 세상
사람들은 그 공덕을 모르고 매약에 신농 유업(神農遺業)이
라고만 써 붙이고 강 태공(姜太公)이 부국강병의 술법을
천하에 내어 놓아 그 덕으로 대업을 이룬 자가 있되 그 공
덕을 앙모하나 보답하지 않고 다만 디딜방아에 경신년 경
신월 경신일 강태공 조작(庚申年庚申月庚申日姜太公造作)
이라 써 붙일 뿐이니 어찌 도리에 합당하리오.
　이제 해원의 때를 당하여 모든 신명이 신농과 태공의 은
혜를 보답하리라"
고 하셨도다.

제일 중요한 것은 당신의
마음속에 있는 욕망의 근원이다.
그 근원이 모두를 위한 것인지
아니면 자신만을 위한 것인지 …
그 근원이 모두를 위한 열정이 된다면
당신은 도통을 하여 후천의 주역이 될 것이고
그 근원이 탐욕이 되어
자신만을 위한 도구가 된다면
당신은 망량이 되어 해원 후에는
먼지처럼 사라지리니
잘 기억하기를 바란다.

3.명부공사

공사 1장 3절

상제께서 "선천에서는 인간 사물이 모두 상극에 지배되어 세상이 원한이 쌓이고 맺혀 삼계를 채웠으니 천지가 상도(常道)를 잃어 갖가지의 재화가 일어나고 세상은 참혹하게 되었도다. 그러므로 내가 천지의 도수를 정리하고 신명을 조화하여 만고의 원한을 풀고 상생(相生)의 도로 후천의 선경을 세워서 세계의 민생을 건지려 하노라. 무릇 크고 작은 일을 가리지 않고 신도로부터 원을 풀어야 하느니라. 먼저 도수를 굳건히 하여 조화하면 그것이 기틀이 되어 인사가 저절로 이룩될 것이니라. 이것이 곧 삼계공사(三界公事)이니라"고 김 형렬에게 말씀하시고 그 중의 명부공사(冥府公事)의 일부를 착수하셨도다.

김 형렬 종도에게
백호기운을 붙여서 공사를 보시었다.
사신 중 백호는 서방을 상징하며
불가에서는 관세음보살이며
도가에서는 칠성여래라 부른다.

공사 1장 5절

　상제께서 가라사대 "명부의 착란에 따라 온 세상이 착란하였으니 명부공사가 종결되면 온 세상 일이 해결되느니라." 이 말씀을 하신 뒤부터 상제께서 날마다 종이에 글을 쓰시고는 그것을 불사르셨도다.

명부의 착란이라는
것은 무엇을 의미하는가?
명부는 지옥을 의미한다.

그리고 서양과 일본을 의미 한다.
착란이라 함은
난리를 일으킴을 말함이니
전쟁을 의미하며
도술신명들과의
다툼을 의미한다.

공사 1장 7절

　상제께서 김 형렬의 집에서 그의 시종을 받아 명부공사를 행하시니라. 상제께서 형렬에게 "조선명부(朝鮮冥府)를 전명숙(全明淑)으로, 청국명부(淸國冥府)를 김 일부(金一夫)로, 일본명부(日本冥府)를 최 수운(崔水雲)으로 하여금 주장하게 하노라"고 말씀하시고 곧 "하룻밤 사이에 대세가 돌려 잡히리라"고 말씀을 잇고 글을 써서 불사르셨도다.

전명숙은 사신중 주작의
후신으로 일본 왕을 의미한다.
한신 장군 이였으며
장비 선조 임금 이였다.

김 일부는 신수 중
해치의 후신으로
청국의 왕을 의미한다.
장보고였으며 김 유신 장군 이였으며
이 순신 장군 이였다.

최 수운은
사신중 청룡의
후신으로 조선의 외선조를 의미한다.
세종 임금 이였으며 유비의 아들인
유선 이였으며 고종 임금 이였다.

공사 2장 4절

　상제께서 어느 날 가라사대 "조선을 서양으로 넘기면 인
종의 차별로 학대가 심하여 살아날 수가 없고 청국으로 넘
겨도 그 민족이 우둔하여 뒷감당을 못할 것이라. 일본은
임진란 이후 도술신명 사이에 척이 맺혀 있으니 그들에게

맡겨 주어야 척이 풀릴지라. 그러므로 그들에게 일시 천하 통일지기(一時天下統一之氣)와 일월 대명지기(日月大明之氣)를 붙여 주어서 역사케 하고자 하나 한 가지 못 줄 것이 있으니 곧 인(仁)이니라. 만일 인 자까지 붙여주면 천하가 다 저희들에게 돌아갈 것이므로 인 자를 너희들에게 붙여 주노니 잘 지킬지어다"고 이르시고 "너희들은 편한 사람이 될 것이오. 저희들은 일만 할 뿐이니 모든 일을 밝게 하여 주라. 그들은 일을 마치고 갈 때에 품삯도 받지 못하고 빈손으로 돌아가리니 말대접이나 후덕하게 하라" 하셨도다.

선생께서는 천하를 한 가정으로
보시는 공사를 보시었다.
그 의미는 무엇인가
12제국의 왕들과 조선의 왕이
한 가정이 된다는 의미가 아닌가?

여기서 말하는 조선의 왕은
도술신명을 말하며
후천의 도인을 말함이다.
현무의 후신을 말함이다.

어질"인"을 가지려
일본왕은 노력할 것이고
조선왕 또한 더욱 어질어질 것이니
매우 아름다운 말씀이시다.

공사 2장 21절

한번은 상제께서 임 상옥에게 사기그릇을 주신 뒤에 공우를 대동하고 전주로 가시는 도중에 세천에 이르시니 점심때가 되니라. 공우가 상제를 고 송암(高松菴)의 친구 집에 모시고 상제께 점심상을 받게 하였도다. 상제께서 문득 "서양 기운을 몰아내어도 다시 몰려드는 기미가 있음을 이상히 여겼더니 뒷골방에서 딴전 보는 자가 있는 것을 미처 몰랐노라" 하시고 "고 송암에게 물어보고 오너라"고 공우에게 이르시고 칠성경에 문곡(文曲)의 위치를 바꾸어 놓으셨도다.

문곡성은 신수
청호의 후신으로
칠성여래의 자식이다
영국 왕을 의미하며
서양의 기운을 주관한다.

조운 장군 이였으며
최 영 장군 강 감찬 장군 이였으며
불가에서는 보현보살이다.

공사 3장 2절

상제께서 사명기(司命旗)를 세워 전 명숙과 최 수운의 원을 풀어주셨도다. 상제께서 피노리(避老里) 이 화춘(李化春)의 집에 이르셔서 그에게 누런 개 한 마리를 잡고 술 한 동이를 마련하게 하고 뒷산의 소나무 숲에서 가장 큰 소나무 한 그루와 남쪽 양달에 있는 황토를 파오게 하고 백지 넉 장을 청 홍 황의 세 색깔로 물들여서 모두 잇고 베어 온 소나무의 한 윗가지에 달게 하고 백지 석장에 각각 시천주를 쓰고 그 종이 석 장에 황토를 조금씩 싸서 함께 잇고 또 소나무 가지에 달고 그 나무를 집 앞에 세우시니 마치 깃대와 같은지라. 상제께서 종도들에게 가라사대 "이곳에서 전 명숙이 잡혔도다. 그는 사명기(司命旗)가 없어서 포한(抱恨)하였나니 이제 그 기를 세워주고 해원케 하노라." 다시 상제께서 사명기 한 폭을 지어 높은 소나무 가지에 달았다가 떼어 불사르시고 최 수운을 해원케 하셨도다.

사명기란 군대를
통솔하는 기를 의미하며
깃발을 세워주심은 전명숙의
후신이 도를 이끌어 감을 말한다.
그리고 외선조의 해원을 말한다.
외선조는 약사여래불로
한라산의 산신과 일체한다.
도가에서는 삼신할머니를 의미한다.

공사 3장 8절

　이 도삼이 어느 날 동곡으로 상제를 찾아뵈니 상제께서 "사람을 해치는 물건을 낱낱이 세어보라" 하시므로 그는 범·표범·이리·늑대로부터 모기·이·벼룩·빈대에 이르기까지 세어 아뢰었도다. 상제께서 이 말을 들으시고 "사람을 해치는 물건을 후천에는 다 없애리라"고 말씀하셨도다.

지상에는 또 다른 세계가 있다
석가부처님은 아수라
축생 아귀 지옥계가 있다고 하셨다.

그 기운이 물상으로
나타난 것이 짐승이고 벌레등이다.
사람에게 해를 끼치는
물건을 해원 후에 모두
사라지게 하심이라.
명부와 지옥이 사라짐을 의미한다.

공사 3장 9절

  상제께서 대흥리에서 三十장의 양지 책의 앞장 十五장마다 "배은망덕 만사신 일분명 일양시생(背恩忘德萬死神 一分明一陽始生)"을, 뒷장 十五장마다 "작지부지 성의웅약 일음시생(作之不止聖醫雄藥 一陰始生)"을 쓰고 경면주사와 접시 한 개를 놓고 광찬에게 가라사대 "이 일은 생사의 길을 정함이니 잘 생각하여 말하라"고 하시니 광찬이 "선령신을 섬길 줄 모르는 자는 살지 못하리이다"고 여쭈니 상제께서 말씀이 없으시다가 잠시 후에 "네 말이 가하다" 하시고 접시를 종이에 싸서 주사(朱砂)를 묻혀 책장마다 찍으셨도다. "이것이 곧 마패(馬牌)라"고 이르셨도다.

사신은 죽음을 의미하며
명부인 일본을 의미한다.
생신은 삶을 의미하며
조선을 의미한다.
해원으로 명부에 기운을
주어 보여 지는 생을 얻게 하고
해원으로 생신에게 기운을 붙여
보이지 않게 생을 얻게 하심이라.

선령신은 생신을 의미하며
마패라 함은 생신의
지위가 보이지 않음을 의미한다.

공사 3장 19절

　종도들이 모여 있는 곳에서 어느 날 상제께서 "일본 사람이 조선에 있는 만고 역신(逆神)을 거느리고 역사를 하나니라. 이조 개국 이래 벼슬을 한 자는 다 정(鄭)씨를 생각하였나니 이것이 곧 두 마음이라. 남의 신하로서 이심을 품으면 그것이 곧 역신이니라. 그러므로 모든 역신이 두 마음을 품은 자들에게 이르기를 너희들도 역신인데 어찌 모든 극악을 행할 때에 역적의 칭호를 붙여서 역신을 학대하느뇨. 이럼으로써 저희들이 일본 사람을 보면 죄지은 자와 같이 두려워하니라"고 말씀하셨도다.

:전 명숙(명부의 시왕)이
혈식천추 도덕군자(24절후신명의 후신들)와
함께 후천으로 가는 배의 선장이 된다.

시일이 지났음에도 깨닫지 못하여서
이글을 쓰게 되었다.
모든 선택은 그들에게 주어졌다.
모두가 일심이 되어야
천자를 볼 수 있음이라.

공사 3장 20절

　또 하루는 상제께서 공우에게 "태인 살포정 뒤에 호승예
불(胡僧禮佛)을 써 주리니 역군(役軍)을 먹일 만한 술을 많
이 빚어 놓으라" 이르시니라. 공우가 이르신 대로 하니라.
그 후에 상제께서 "장사를 지내 주리라"고 말씀하시고 종
도들과 함께 술을 잡수시고 글을 써서 불사르셨도다. 상제
께서 "지금은 천지에 수기가 돌지 아니하여 묘를 써도 발
음이 되지 않으리라. 이후에 수기가 돌 때에 땅 기운이 발
하리라"고 말씀하셨도다.

박 공우 종도에게
사신중 하나인
주작(명부)의 기운을 붙여
공사를 보시었다.

모든 공사를 이해할 수는 없으나
깨닫고 이해한 부분을 이글에 남겨놓으니
道를 공부하는 이들은 바로알고
깨달음을 얻기를 기다린다.

그리고 인연이 되어서
이글을 보게 되는 이들은
바른 이해를 하여
道를 훼손하는 일이 없기를 바란다.
그리고 道를 알기를 원하면 관세음을 찾으라.

신명과 수작하여 이 글을 쓰니
이 글을 이용하여
자신의 탐욕을 탐하는 자는
"신벌"을 벗어나지 못할 것이다.

또한 신명과 더불어
이 글을 쓰노니
보고 깨달아
참된 수행을 하는 이는
깨달음을 얻어 참된 道를 알아갈 것이며
"신명"의 보호를 받으리라.

명부의 착란이란
원하는 바를 소원한 것이다.
그 결과로 해원을 하여
그 지위에 오르고 풍요를 얻어 풍족하였으니
이제 마음을 돌려 제자리로 돌아와서
자신의 자리에서 최선을 다하여
그 자리에서 가장 빛이 나는 보석으로서
진정한 해원을 하길 바란다.
그 큰 기운으로 후천의 일을 한다면
두려운 일이 무엇이고 또한
해내지 못할 일이 무엇인가!
자신의 마음속에서 진정 원하는 것이 무엇인지
살피고 또 살피어 깨달고 이해하기 바란다.
아무것도 할 수없는 진주를 이해하기 바란다.
이렇게라도 할 수밖에 없는 진주를 이해하기 바란다.

4.후천

행록 1장 37절

금산사 청련암(靑蓮庵)의 중 김 현찬(金玄贊)이 전부터 상제의 소문을 듣고 있던 차에 상제를 만나게 되어 명당을 원하니 상제께서 그에게 "믿고 있으라"고 이르셨도다. 그 후 그는 환속하여 화촉을 밝히고 아들을 얻었느니라. 그리고 김 병욱(金秉旭)이 또한 명당을 바라므로 상제께서 역시 "믿고 있으라"고 말씀하셨도다. 그 후 그도 바라던 아들을 얻었느니라. 수년이 지나도록 명당에 대한 말씀이 없으시기에 병욱은 "주시려던 명당은 언제 주시나이까"고 여쭈니 상제께서 "네가 바라던 아들을 얻었으니 이미 그 명당을 받았느니라"고 이르시고 "선천에서는 매백골이장지(埋白骨而葬之)로되 후천에서는 불매백골이장지(不埋白骨而葬之)니라"고 말씀을 하셨도다. 그 후 얼마 지나 현찬이 상제를 뵈옵고 명당을 주시기를 바라므로 상제께서 "명당을 써서 이미 발음되었나니라"고 말씀이 계셨도다.

후천에서는 백골을 묻지 않고
장사를 지낸다 하셨다.
이는 장사와 제사문화가
사라짐을 의미한다.

명당은 이제 사람에게 발음이 되어
후천에는 사람과
하늘이 바로 연결됨을 의미한다.

공사 2장 16절

  상제께서 어느 날 후천에서의 음양 도수를 조정하시려고 종도들에게 오주를 수련케 하셨도다. 종도들이 수련을 끝내고 각각 자리를 정하니 상제께서 종이쪽지를 나누어 주시면서 "후천 음양 도수를 보려 하노라. 각자 다른 사람이 알지 못하도록 점을 찍어 표시하라"고 이르시니 종도들이 마음에 있는 대로 점을 찍어 올리니라. "응종은 두 점, 경수는 세 점, 내성은 여덟 점, 경석은 열두 점, 공신은 한 점을 찍었는데 아홉 점이 없으니 자고로 일남 구녀란 말은 알 수 없도다"고 말씀하시고 내성에게 "팔선녀란 말이 있어서 여덟 점을 쳤느냐"고 물으시고 응종과 경수에게 "노인들이 두 아내를 원하나 어찌 감당하리오"라고 말씀하시니 그들이 "후천에서는 새로운 기력이 나지 아니하리까"고 되물으니 "그럴듯하도다"고 말씀하시니라. 그리고 상제께서 경석에게 "너는 무슨 아내를 열둘씩이나 원하느뇨"고 물으시니 그는 "열두 제국에 하나씩 아내를 두어야 만족하겠나이다"고 대답하니 이 말을 들으시고 상제께서 다시

"그럴듯하도다"고 말씀을 건네시고 공신을 돌아보시며 "경석은 열둘씩이나 원하는데 너는 어찌 하나만 생각하느냐"고 물으시니 그는 "건곤(乾坤)이 있을 따름이요 이곤(二坤)이 있을 수 없사오니 일음 일양이 원리인 줄 아나이다"고 아뢰니 상제께서 "너의 말이 옳도다"고 하시고 "공사를 잘 보았으니 손님 대접을 잘 하라"고 분부하셨도다. 공신이 말씀대로 봉행하였느니라. 상제께서 이 음양 도수를 끝내시고 공신에게 "너는 정음 정양의 도수니 그 기운을 잘 견디어 받고 정심으로 수련하라"고 분부하시고 "문왕(文王)의 도수와 이윤(伊尹)의 도수가 있으니 그 도수를 맡으려면 극히 어려우니라"고 일러 주셨도다.

후천에는 정음정양의
도수로 연분만이 삶을 살게 된다.

공사 2장 17절

　종도들의 음양 도수를 끝내신 상제께서 이번에는 후천 五만 년 첫 공사를 행하시려고 어느 날 박 공우에게 "깊이 생각하여 중대한 것을 들어 말하라" 하시니라. 공우가 지식이 없다고 사양하다가 문득 생각이 떠올라 아뢰기를 "선천에는 청춘과부가 수절한다 하여 공방에서 쓸쓸히 늙어

일생을 헛되게 보내는 것이 불가하오니 후천에서는 이 폐
단을 고쳐 젊은 과부는 젊은 홀아비를, 늙은 과부는 늙은
홀아비를 각각 가려서 친족과 친구들을 청하고 공식으로
예를 갖추어 개가게 하는 것이 옳을 줄로 아나이다"고 여
쭈니 상제께서 "네가 아니면 이 공사를 처결하지 못할 것
이므로 너에게 맡겼더니 잘 처결하였노라"고 이르시고 "이
결정의 공사가 五만 년을 가리라"고 말씀하셨도다.

후천에는
서로 분에 넘치지
않은 이와 연분을 맺고
외롭고 쓸쓸함이 사라진다.

공사 3장 8절

　이 도삼이 어느 날 동곡으로 상제를 찾아뵈니 상제께서
"사람을 해치는 물건을 낱낱이 세어보라" 하시므로 그는
범·표범·이리·늑대로부터 모기·이·벼룩·빈대에 이르
기까지 세어 아뢰었도다. 상제께서 이 말을 들으시고 "사
람을 해치는 물건을 후천에는 다 없애리라"고 말씀하셨도
다.

사람에게 해를 끼치는
사물이 사라진다.

교법 1장 68절

　후천에서는 그 닦은 바에 따라 여인도 공덕이 서게 되리니 이것으로써 예부터 내려오는 남존여비의 관습은 무너지리라.

남녀 평등의 사회가 이루어진다.

교법 2장 11절

　상제께서 종도들에게 "후천에서는 약한 자가 도움을 얻으며 병든 자가 일어나며 천한 자가 높아지며 어리석은 자가 지혜를 얻을 것이요 강하고 부하고 귀하고 지혜로운 자는 다 스스로 깎일지라"고 이르셨도다.

해원이 끝난 후에
후천이 시작이 되면
선량하고 진실 된 이들이
해원이 시작되는 바
후천에 갈 수 있는 이들은
선량하고 진실 된 이들인 것이다.

교법 2장 55절

　지난 선천 영웅시대는 죄로써 먹고 살았으나 후천 성인시대는 선으로써 먹고 살리니 죄로써 먹고 사는 것이 장구하랴, 선으로써 먹고 사는 것이 장구하랴. 이제 후천 중생으로 하여금 선으로써 먹고 살 도수를 짜 놓았도다.

후천에는 남을 이기고 빼앗아야
복을 얻는 것이 아니라
도움을 주고 서로 화합해야
복록을 얻는다는 말씀이다.

교법 2장 58절

　후천에는 계급이 많지 아니하나 두 계급이 있으리라. 그러나 식록은 고르리니 만일 급이 낮고 먹기까지 고르지 못하면 어찌 원통하지 않으리오.

후천에서도 서열은 있으나
식록은 공평하다는 말씀이다.
세세하고 정밀하게 원한이
생기지 않는 세상을 만드셨도다.

교법 3장 41절

　후천에서는 종자를 한 번 심으면 해마다 뿌리에서 새싹이
돋아 추수하게 되고 땅도 가꾸지 않아도 옥토가 되리라.
이것은 땅을 석 자 세 치를 태우는 까닭이니라.

땅의 기운을 바꾸어 놓으시고
인간과 천지자연을 위한 땅을 만드셨도다.

예시 13절

　선천에서는 판이 좁고 일이 간단하여 한 가지 도(道)만을
따로 써서 난국을 능히 바로잡을 수 있었으나 후천에서는
판이 넓고 일이 복잡하므로 모든 도법을 합(合)하여 쓰지
않고는 혼란을 바로잡지 못하리라.

천하가 한가정이 되어서
선도 불교 유교 서도 의
모든 도법을 합하여
사용하여 정사를
보게 된다는 말씀이다.

예시 14절

　　금산사에 상제를 따라갔을 때 상제께서 종도들에게
　　천황(天皇) 지황(地皇) 인황(人皇) 후 천하지 대금산(天下
之大金山)
　　모악산하(母岳山下)에 금불(金佛)이 능언(能言)하고
　　육장 금불(六丈金佛)이 화위 전녀(化爲全女)이라
　　만국 활계 남조선(萬國活計南朝鮮) 청풍 명월 금산사(淸
風明月金山寺)
　　문명 개화 삼천국(文明開花三千國) 도술 운통 구만리(道
術運通九萬里)
란 구절을 외워 주셨도다.

천황 지황 인황 후
천하에 있는 서쪽
어머니산(한라산) 아래에
부처가 능히 말을 하고
부처는 여자로부터 온전해진다.

만국을 구하는 계책이 남조선에 있고
맑은 바람이 불고 밝은 달빛이 비치는
서쪽 산에 있는 사찰이라.
문명은 삼천 국에 열려 꽃을 피우고
도술은 구만 리에 돌아 통하는구나.

금불은 천자인 견우를 의미하고

여인은 직녀를 의미 한다
견우는 조선의 직 선조를 의미하고
여인은 조선의 외 선조를 의미한다.
그 둘이 다시 만나는 날
남북통일이 이루어 질것이고
네 사람(직선조 외선조 명부 칠성)이
다시 만나는 날
무고한 창생이 살아날 수 있을 것이다.

예시 45절

   상제께서 태인 도창현에 있는 우물을 가리켜 "이것이 젖
(乳) 샘이라"고 하시고 "도는 장차 금강산 일만이천 봉을
응기하여 일만이천의 도통군자로 창성하리라. 그러나 후천
의 도통군자에는 여자가 많으리라"하시고
   "상유 도창 중유 태인 하유 대각(上有道昌中有泰仁下有大
覺)"
이라고 말씀하셨도다.

크게 깨닫는 것보다
크게 덕을 펼치는 게 낫고
크게 덕을 펼치는 것보다
도를 창성하게
하는 것이 낫다.

여자의 세심함이 도를 창성하게
하여 도통군자가 많다는 말씀이다.

예시 77절

　선천에는 백팔 염주였으되 후천에는 백오 염주니라.

백팔염주란 108번뇌를 애기하며 그 번뇌에서
탐욕 진노함 어리석음(3개의 하늘의 그릇된 기운)이
사라져 번뇌는 있으나
삼독이 빠져 나감을 의미한다.
그리고 늙음과 병듦과 죽음이 사라진다.
후천에서도 수도는 계속됨을 의미한다.

예시 80절

　후천에는 사람마다 불로불사하여 장생을 얻으며 궤합을
열면 옷과 밥이 나오며 만국이 화평하여 시기 질투와 전쟁
이 끊어지리라.

시기 질투 투쟁을 일으키는
마음을 가진 이는 후천에 갈수가 없다.

예시 81절

　후천에는 또 천하가 한 집안이 되어 위무와 형벌을 쓰지 않고도 조화로써 창생을 법리에 맞도록 다스리리라. 벼슬하는 자는 화권이 열려 분에 넘치는 법이 없고 백성은 원울과 탐음의 모든 번뇌가 없을 것이며 병들어 괴롭고 죽어 장사하는 것을 면하여 불로불사하며 빈부의 차별이 없고 마음대로 왕래하고 하늘이 낮아서 오르고 내리는 것이 뜻대로 되며 지혜가 밝아져 과거와 현재와 미래와 시방 세계에 통달하고 세상에 수·화·풍(水火風)의 삼재가 없어져서 상서가 무르녹는 지상선경으로 화하리라.

분수에 맞게 생활을 하여야 할 것이며
원망과 탐음의 번뇌를 끊어버려야
후천에 갈 수 있는 마음의 준비가 되는 것이다.

선생께서 후천의 법을 짜 놓으시고 천지공사로
길을 열어 주시었다.
후천에 가려하고 道를 닦으려는 수행자들이여
후천의 도통군자가 되려한다면 먼저
그 마음의 그릇이 되어야 하지 않겠는가?
먼저 분수에 맞게 생활하고 있는지
탐 진 치 의 번뇌로 살고 있는 것은 아닌지
또 다시 한번 자신을
뒤돌아보는 계기가 되기를 바란다.

4.전경속의 인물들

1.신농씨

행록 1장 1절

　강(姜)씨는 상고 신농씨(神農氏)로부터 시작되고 성(姓)으로서는 원시성이로다. 우리나라에 건너온 시조(始祖)는 이식(以式)이니 중국 광동 강씨보(中國廣東姜氏譜)에 공좌태조 이정천하후 양제찬위 공이퇴야(公佐太祖以定天下後煬帝篡位公以退野)라고 기록되어 있고 또 우리나라 숙종 을축년보(肅宗乙丑年譜)에 "수벌 고구려시 공위병마원수 지살수이 지수장란 잉류불반(隋伐高句麗時公爲兵馬元帥至薩水而知隋將亂仍留不返)"의 기록이 있는 바와 같이 진주 강씨(晋州姜氏)는 중국(中國) 수양제(隋煬帝) 때에 우리나라에 건너오니라. 시조(始祖) 이식으로부터 三十一대 자손 세의(世義)가 고부(古阜)로 낙향한 후 六대에 진창(晉昌)·우창(愚昌)·응창(應昌) 삼 형제도 이곳에 살았도다.

신농씨로부터 역사가
시작되었음을 이름이다.

四월 어느 날 김 보경의 집에서 공사를 행하시는데 백지 넉 장을 펼치시고 종이 귀마다 "천곡(泉谷)"이라 쓰시기에 그 뜻을 치복이 여쭈어 물으니 상제께서 "옛날에 절사한 원의 이름이라"고 가르쳐 주시고 치복과 송환으로 하여금 글을 쓴 종이를 마주 잡게 하고 "그 모양이 상여의 호방산 (護防傘)과 같도다"고 말씀하시니라.

그리고 갑칠은 상제의 말씀이 계셔서 바깥에 나갔다 들어와서 서편 하늘에 한 점의 구름이 있는 것을 아뢰니 다시 명하시기에 또 나가서 하늘을 보고 들어와서 한 점의 구름이 온 하늘을 덮은 것을 여쭈었더니 상제께서 백지 한 장의 복판에 사명당(四明堂)이라 쓰시고 치복에게 가라사대 "궁을가에 있는 사명당 갱생이란 말은 중 사명당이 아니라 밝을 명 자를 쓴 사명당이니 조화는 불법(佛法)에 있으므로 호승예불혈(胡僧禮佛穴)이오. 무병장수(無病長壽)는 선술(仙術)에 있으니 오선위기혈(五仙圍碁穴)이오. 국태민안(國泰民安)은 군신봉조혈(群臣奉詔穴)이오. 선녀직금혈(仙女織錦穴)로 창생에게 비단옷을 입히리니 六월 十五일 신농씨(神農氏)의 제사를 지내고 공사를 행하리라. 금년이 천지의 한문(捍門)이라. 지금 일을 하지 않으면 일을 이루지 못하니라"하셨도다.

신농씨는 노천의 주인이다
여름하늘에는 노천과

명천의 하늘이 있다.
나라로는 중국 남부를 상징한다.
적룡을 의미한다.

예시 22절

　　또 말씀하시기를
　　"신농씨(神農氏)가 농사와 의약을 천하에 펼쳤으되 세상 사람들은 그 공덕을 모르고 매약에 신농 유업(神農遺業)이라고만 써 붙이고 강 태공(姜太公)이 부국강병의 술법을 천하에 내어 놓아 그 덕으로 대업을 이룬 자가 있되 그 공덕을 앙모하나 보답하지 않고 다만 디딜방아에 경신년 경신월 경신일 강태공 조작(庚申年庚申月庚申日姜太公造作)이라 써 붙일 뿐이니 어찌 도리에 합당하리오.
　　이제 해원의 때를 당하여 모든 신명이 신농과 태공의 은혜를 보답하리라"
고 하셨도다.

문자와 수의 시작은
신농씨로부터 나온 것이다 .
이로 인하여 문명이 발전하였으니
어찌 은혜롭지 않은가!

강태공은 신농씨의 후신이다.

강 태공

행록 3장 28절

상제께서 을사(乙巳)년 봄 어느 날 문 공신에게 "강 태공 (姜太公)은 七十二둔을 하고 음양둔을 못하였으나 나는 음 양둔까지 하였노라"고 말씀하셨도다.

유교의 법은 72현인을 내었다.
땅의 이치가 그 안에 숨어 있는 것이다.
그리고 문자에
그 기운을 담으니 봉신이라 하였다.
지존 시대의 시작 이였던 것이다.

예시 20절

상제께서 "강 태공(姜太公)이 十년의 경영으로 낚시 三千 六百개를 버렸으니 이것이 어찌 한갓 주(周)나라를 흥하게 하고 제나라 제후를 얻으려 할 뿐이랴. 멀리 후세에 전하 려함이니라. 나는 이제 七十二둔으로써 화둔을 트니 나는 곧 삼이화(三离火)니라"고 말씀하셨도다.

강 태공의 후신인
조 정산 도주께서 10년 동안
도를 경영함을 이름이다.
10년 경영으로
후천의 기틀을 만드신 것이다.

2.석가모니

공사 2장 11절

　상제께서는 약방에 갖추어 둔 모든 물목을 기록하여 공우와 광찬에게 주고 가라사대 "이 물목기를 금산사에 가지고 가서 그곳에 봉안한 석가불상을 향하여 그 불상을 업어다 마당 서쪽에 옮겨 세우리라고 마음속으로 생각하면서 불사르라"하시니 두 사람이 금산사에 가서 명하신 대로 행하니라. 이로부터 몇 해 지난 후에 금산사를 중수할 때 석가불전을 마당 서쪽에 옮겨 세우니 미륵전 앞이 넓어지느니라. 이 불전이 오늘날의 대장전이로다.

교운 1장 10절

　상제께서 교운을 펼치신 후 때때로 종도들에게 옛사람의 이야기를 들려주시니라. 그 사람들 중에는 강 태공(姜太公)·석가모니(釋迦牟尼)·관운장(關雲長)·이마두(利瑪竇)가 끼었도다.

교운 1장 34절

또 상제께서 말씀을 계속하시기를 "공자(孔子)는 七十二명만 통예시켰고 석가는 五百명을 통케 하였으나 도통을 얻지 못한 자는 다 원을 품었도다. 나는 마음을 닦은 바에 따라 누구에게나 마음을 밝혀 주리니 상재는 七일이요, 중재는 十四일이요, 하재는 二十一일이면 각기 성도하리니 상등은 만사를 임의로 행하게 되고 중등은 용사에 제한이 있고 하등은 알기만 하고 용사를 뜻대로 못하므로 모든 일을 행하지 못하느니라" 하셨도다.

석가모니는 명천하늘의 주인이며
봄을 상징한다. 청룡을 의미한다.
나라로는 중국의 서쪽(서촉)과
인도를 상징한다.
후신으로는 유비였고 단종 임금 이였으며
박 한경 도전 이였다.
道가 나오고 도통이
나오는 법을 보여주었다.

교운 2장 57절

　병신년 三월에 박 한경은 도주의 분부를 좇아 류 철규·박 종순과 함께 정하신 바에 따라 공주 동학사(東鶴寺)에 이르렀도다. 이 절의 경내에 동계사(東雞祠) 삼은각(三隱閣)과 단종왕의 숙모전(肅慕殿)이 있고 생육신과 사육신을 추배한 동묘 서묘가 있으니 신라 고려 조선의 삼대 충의지사를 초혼한 곳이로다. 이곳의 관리자는 사육신의 한 사람인 박 팽년(朴彭年)의 후손이고 정기적으로 청주에서 내왕하면서 관리하고 있었도다. 그러므로 평상시에는 문이 닫혀 사람들이 출입할 수 없는데 이날따라 그 후손이 도주께서 불러 나온 듯이 미리 와서 문을 여니 도주께서는 배종자들을 데리시고 이곳을 두루 살피셨도다. 그리고 동학사 염화실(拈花室)에서 이레 동안의 공부를 마치시고 말씀하시길 "이번 공부는 신명 해원(神明解冤)을 위주한 것이라"고 이르셨도다.

단종 임금은
석가모니부처의
후신이다.

3.관운장

상제께서 어느 날 공우를 데리시고 태인 새울에서 백암리로 가시는 도중에 문득 관운장(關雲長)의 형모로 변하여 돌아보시며 가라사대 "내 얼굴이 관운장과 같으냐" 하시니 공우가 놀라며 대답하지 못하고 주저하거늘 상제께서 세 번을 거듭 물으시니 공우는 그제야 겨우 정신을 차리고 "관운장과 흡사하나이다"고 아뢰니 곧 본 얼굴로 회복하시고 김 경학의 집에 이르러 공사를 행하셨도다.

상제께서 신 원일을 데리고 태인 관왕묘 제원(關王廟祭員) 신 경언(辛敬彦)의 집에 이르러 머물고 계실 때 그와 그의 가족에게 가라사대 "관운장이 조선에 와서 받은 극진한 공대의 보답으로 공사 때에 반드시 진력함이 가하리로다" 하시고 양지에 글을 써서 불사르시니 경언은 처음 보는 일이므로 괴이하게 생각하였도다. 이튿날 경언과 다른 제원이 관묘에 봉심할 때 관운장의 삼각수 한 갈래가 떨어져 간 곳이 없으므로 제원들은 괴상하게 여겼으되 경언은 상제께서 행하신 일이라 생각하고 공사에 진력하기 위하여 비록 초상으로도 그 힘씀을 나타내는 것이라 깨달았도다.

행록 3장 31절

　상제께서 어느 날 류 찬명(柳贊明)과 김 자현(金自賢) 두 종도를 앞에 세우고 각각 十만 인에게 포덕하라고 말씀하시니 찬명은 곧 응낙하였으나 자현은 대답하지 않고 있다가 상제의 재촉을 받고 비로소 응낙하느니라. 이때 상제께서 "내가 평천하 할 터이니 너희는 치천하 하라. 치천하는 五十년 공부이니라. 매인이 여섯 명씩 포덕하라"고 이르시고 또 "내가 태을주(太乙呪)와 운장주(雲長呪)를 벌써 시험해 보았으니 김 병욱의 액을 태을주로 풀고 장 효순의 난을 운장주로 풀었느니라"고 말씀하셨도다.

교운 1장 22절

　황 응종이 노랑 닭 한 마리를 상제께 올리니라. 상제께서 밤중에 형렬에게 그 닭을 잡아 삶게 하고 김 형렬·한 공숙·류 찬명·김 자현·김 갑칠·김 송환·김 광찬·황 응종 등과 나눠 잡수시고 운장주(雲長呪)를 지으셔서 그들에게 단번에 외우게 하셨도다. 이것이 그때의 운장주이니라.
　"天下英雄關雲長 依幕處 近聽天地八位諸將 六丁六甲六丙六乙 所率諸將 一別屛營
　　邪鬼唵唵噥噥如律令娑婆啊"

:천하의 영웅 관운장이시여 막사에 의지하여 하늘과 땅의 팔위 모든 장수들께 삼가 청합니다. 육정 육갑 육병 육을 모든 장수들

을 거느리신 바 한 번 떠나시어 삿된 귀신을 겁주어 쫓아내소서
서둘러 율령대로 행하소서.

:선천의 나쁜 기운들은 해원 후에 모두 하늘로 올라가
관운장과 그의 장수들에게 붙잡히고 사라져서
다시는 하계로 내려오지 못하게 되는 것이다.
검기가 서려있는 가을 하늘은 심판을 의미한다.

교운 1장 61절

  어느 날 저녁에 상제께서 약방에서 三十六만 신과 운장주를 쓰시고 여러 종도들에게 "이것을 제각기 소리 없이 七百번씩 외우라" 이르셨도다. 그리고 또 상제께서 "날마다 바람이 불다가 그치고 학담으로 넘어가니 사람이 많이 죽을까 염려하여 이제 화둔(火遁)을 묻었노라"고 이르셨도다.

관운장은 서쪽 하늘의 후신이다.
백룡을 의미한다.
서쪽 하늘은 심판을
이야기하며 명부의 본래 주인이다.
나라로는 러시아를 의미한다.

4.이마두

교운 1장 9절

상제께서 어느 날 김 형렬에게 가라사대 "서양인 이마두 (利瑪竇)가 동양에 와서 지상 천국을 세우려 하였으되 오 랫동안 뿌리를 박은 유교의 폐습으로 쉽사리 개혁할 수 없 어 그 뜻을 이루지 못하였도다. 다만 천상과 지하의 경계 를 개방하여 제각기의 지역을 굳게 지켜 서로 넘나들지 못 하던 신명을 서로 왕래케 하고 그가 사후에 동양의 문명신 (文明神)을 거느리고 서양에 가서 문운(文運)을 열었느니 라. 이로부터 지하신은 천상의 모든 묘법을 본받아 인세에 그것을 베풀었노라. 서양의 모든 문물은 천국의 모형을 본 뜬 것이라" 이르시고 "그 문명은 물질에 치우쳐서 도리어 인류의 교만을 조장하고 마침내 천리를 흔들고 자연을 정 복하려는 데서 모든 죄악을 끊임없이 저질러 신도의 권위 를 떨어뜨렸으므로 천도와 인사의 상도가 어겨지고 삼계가 혼란하여 도의 근원이 끊어지게 되니 원시의 모든 신성과 불과 보살이 회집하여 인류와 신명계의 이 겁액을 구천에 하소연하므로 내가 서양(西洋) 대법국(大法國) 천계탑(天啓 塔)에 내려와 천하를 대순(大巡)하다가 이 동토(東土)에 그 쳐 모악산 금산사(母岳山金山寺) 삼층전(三層殿) 미륵금불 (彌勒金佛)에 이르러 三十년을 지내다가 최 제우(崔濟愚)에 게 제세대도(濟世大道)를 계시하였으되 제우가 능히 유교 의 전헌을 넘어 대도의 참뜻을 밝히지 못하므로 갑자(甲子)

년에 드디어 천명과 신교(神敎)를 거두고 신미(辛未)년에 강세하였노라"고 말씀하셨도다.

교운 1장 10절

상제께서 교운을 펼치신 후 때때로 종도들에게 옛사람의 이야기를 들려주시니라. 그 사람들 중에는 강 태공(姜太公)·석가모니(釋迦牟尼)·관운장(關雲長)·이마두(利瑪竇)가 끼었도다.

교운 1장 65절

또 어느 날 상제께서 말씀하시길 "선도(仙道)와 불도(佛道)와 유도(儒道)와 서도(西道)는 세계 각 족속의 문화의 바탕이 되었나니 이제 최 수운(崔水雲)을 선도(仙道)의 종장(宗長)으로, 진묵(震黙)을 불교(佛敎)의 종장(宗長)으로, 주 회암(朱晦庵)을 유교(儒敎)의 종장(宗長)으로, 이마두(利瑪竇)를 서도(西道)의 종장(宗長)으로 각각 세우노라"고 하셨도다.

예시 66절

상제께서 빗물로 벽에 인형을 그리고 그 앞에 청수를 떠 놓고 꿇어앉아서 상여 운상의 소리를 내시고
"이마두를 초혼하여 광주 무등산(光州無等山) 상제봉조(上帝奉詔)에 장사하고 최 수운을 초혼하여 순창 회문산(淳昌

回文山) 오선위기(五仙圍碁)에 장사하노라" 하시고 종도들에게 二十四절을 읽히고 또 말씀하시니라.

"그때도 이때와 같아서 천지에서 혼란한 시국을 광정(匡正)하려고 당 태종(唐太宗)을 내고 다시 二十四장을 내어 천하를 평정하였나니 너희들도 그들에게 밑가지 않는 대접을 받으리라."

교법 2장 52절

위천하자(爲天下者)는 불고가사(不顧家事)라 하였으되 제갈 량(諸葛亮)은 유상 팔백 주(有桑八百株)와 박전 십오 경(薄田十五頃)의 탓으로 성공하지 못하였느니라.

교법 3장 28절

모든 일을 알기만 하고 쓰지 않는 것은 차라리 모르는 것만 못하리라. 그러므로 될 일을 못 되게 하고 못 될 일을 되게 하여야 하나니 손 빈(孫臏)의 재조는 방 연(龐涓)으로 하여금 마릉(馬陵)에서 죽게 하였고 제갈 량(諸葛亮)의 재조는 조 조(曹操)로 하여금 화용도(華容道)에서 만나게 하는 데 있느니라.

권지 1장 3절

상제께서 "제갈 량(諸葛亮)이 제단에서 칠일 칠야 동안 공을 들여 동남풍을 불게 하였다는 것이 우스운 일이라.

공을 들이는 동안에 일이 그릇되어 버리면 어찌 하리오"
말씀하시고 곧 동남풍을 일으켜 보였도다.

이마두는 칠성여래와 관세음보살의 후신이다.
미국을 상징하며 사신 중에는 백호를 상징한다.
가을하늘의 첫 번째 자식이다.
후신으로는 제갈 공명 이였으며
무측천 이였고 명성황후였다.
교운에서는 그녀에게
종통이 넘어감을 의미한다.
공사에서는 김 형렬 종도에게
그 기운을 붙여 공사를 보시었다.

5.전 명숙

공사 1장 7절

상제께서 김 형렬의 집에서 그의 시종을 받아 명부공사를 행하시니라. 상제께서 형렬에게 "조선명부(朝鮮冥府)를 전 명숙(全明淑)으로, 청국명부(淸國冥府)를 김 일부(金一夫)로, 일본명부(日本冥府)를 최 수운(崔水雲)으로 하여금 주장하게 하노라"고 말씀하시고 곧 "하룻밤 사이에 대세가 돌려 잡히리라"고 말씀을 잇고 글을 써서 불사르셨도다.

공사 1장 27절

상제께서 순창 농암(籠岩) 박 장근의 집에 가셔서 종도들에게 가라사대 "이곳에 큰 기운이 묻혀 있으니 이제 그 기운을 내가 풀어 쓰리라. 전 명숙과 최 익현이 있었으되 그 기운을 쓸 만한 사람이 되지 못하여 동학이 성공하지 못하였느니라"하셨도다.

공사 1장 34절

하루는 종도들이 상제의 말씀을 좇아 역대의 만고 명장을 생각하면서 쓰고 있는데 경석이 상제께 "창업군주도 명장이라 하오리까"고 여쭈니 상제께서 "그러하니라"말씀하시니라. 경석이 황제(黃帝)로부터 탕(湯)·무(武)·태공(太公)

、한고조(漢高祖) 등을 차례로 열기하고 끝으로 전 명숙을 써서 상제께 올리니 상제께서 그에게 "전 명숙을 끝에 돌린 것은 어찌된 일이뇨" 물으시니 경석이 "글을 왼쪽부터 보시면 전 명숙이 수위가 되나이다"고 답하였도다. 상제께서 그 말을 시인하시고 종도들을 향하여 "전 명숙은 만고 명장이라. 백의 한사로 일어나서 능히 천하를 움직였도다"고 일러 주셨도다.

공사 3장 2절

상제께서 사명기(司命旗)를 세워 전 명숙과 최 수운의 원을 풀어주셨도다. 상제께서 피노리(避老里) 이 화춘(李化春)의 집에 이르셔서 그에게 누런 개 한 마리를 잡고 술 한 동이를 마련하게 하고 뒷산의 소나무 숲에서 가장 큰 소나무 한 그루와 남쪽 양달에 있는 황토를 파오게 하고 백지 넉 장을 청 홍 황의 세 색깔로 물들여서 모두 잇고 베어 온 소나무의 한 윗가지에 달게 하고 백지 석장에 각각 시천주를 쓰고 그 종이 석 장에 황토를 조금씩 싸서 함께 잇고 또 소나무 가지에 달고 그 나무를 집 앞에 세우시니 마치 깃대와 같은지라. 상제께서 종도들에게 가라사대 "이곳에서 전 명숙이 잡혔도다. 그는 사명기(司命旗)가 없어서 포한(抱恨)하였나니 이제 그 기를 세워주고 해원케 하노라." 다시 상제께서 사명기 한 폭을 지어 높은 소나무 가지에 달았다가 떼어 불사르시고 최 수운을 해원케 하셨도다.

교법 1장 2절

　우리의 일은 남을 잘 되게 하는 공부이니라. 남이 잘 되고 남은 것만 차지하여도 되나니 전 명숙이 거사할 때에 상놈을 양반으로 만들고 천인(賤人)을 귀하게 만들어 주려는 마음을 두었으므로 죽어서 잘 되어 조선 명부가 되었느니라.

교법 3장 10절

　상제께서 병욱에게 이르시니라. "남은 어떻게 생각하든지 너는 전 명숙(全明淑)의 이름을 더럽히지 말라. 너의 영귀에는 전 명숙의 힘이 많으니라."

교법 3장 30절

　또 가라사대 "난을 짓는 사람이 있어야 다스리는 사람이 있나니 치우(蚩尤)가 작란하여 큰 안개를 지었으므로 황제(黃帝)가 지남거(指南車)로써 치란하였도다. 난을 짓는 자나 난을 다스리는 자나 모두 조화로다. 그러므로 최 제우(崔濟愚)는 작란한 사람이요 나는 치란하는 사람이니라. 전 명숙은 천하에 난을 동케 하였느니라."
.
예시 50절

　상제께서 화천하시기 전해 섣달 어느 날 백지에 二十四방위를 돌려 쓰고 복판에 혈식천추 도덕군자(血食千秋道德君子)를 쓰시고 "천지가 간방(艮方)으로부터 시작되었다고 하나 二十四방위에서 한꺼번에 이루워졌느니라"고 하시고

　"이것이 남조선 뱃길이니라.

　혈식 천추 도덕 군자가 배를 몰고

　전 명숙(全明淑)이 도사공이 되니라.

　그 군자신(君子神)이 천추 혈식하여

　만인의 추앙을 받음은

　모두 일심에 있나니라.

　그러므로 일심을 가진 자가 아니면

　이 배를 타지 못하리라"

고 이르셨도다.

전명숙은 지장보살이며 명부시왕의 후신이다.

나라로는 일본을 의미한다.

여름 하늘의 첫 번째 자식이다.

신수로는 주작을 상징한다.

후신으로는 치우 한신 장비

선조임금 이였다

공사에서는 박 공우 종도에게

그 기운을 붙여 공사를 보시었다.

6.최수운

  수운(水雲) 가사에 "발동 말고 수도하소. 때 있으면 다시 오리라" 하였으니 잘 알아 두라 하셨도다.

공사 1장 7절

  상제께서 김 형렬의 집에서 그의 시종을 받아 명부공사를 행하시니라. 상제께서 형렬에게 "조선명부(朝鮮冥府)를 전 명숙(全明淑)으로, 청국명부(淸國冥府)를 김 일부(金一夫)로, 일본명부(日本冥府)를 최 수운(崔水雲)으로 하여금 주장하게 하노라"고 말씀하시고 곧 "하룻밤 사이에 대세가 돌려 잡히리라"고 말씀을 잇고 글을 써서 불사르셨도다.

공사 2장 3절

  또 상제께서 장근으로 하여금 식혜 한 동이를 빚게 하고 이날 밤 초경에 식혜를 큰 그릇에 담아서 인경 밑에 놓으신 후에 "바둑의 시조 단주(丹朱)의 해원도수를 회문산(回文山) 오선위기혈(五仙圍碁穴)에 붙여 조선 국운을 돌리려 함이라. 다섯 신선 중 한 신선은 주인으로 수수방관할 뿐이오. 네 신선은 판을 놓고 서로 패를 지어 따먹으려 하므로 날짜가 늦어서 승부가 결정되지 못하여 지금 최 수운을 청하여서 증인으로 세우고 승부를 결정코자 함이니 이 식혜는 수운을 대접하는 것이라”말씀하시고 “너희들이 가진 문집(文集)에 있는 글귀를 아느냐”고 물으시니 몇 사람이 “기억하는 구절이 있나이다”고 대답하니라. 상제께서 백지에 “걸군굿 초란이패 남사당 여사당 삼대치”라 쓰고 “이 글이 곧 주문이라. 외울 때에 웃는 자가 있으면 죽으리니 조심하라” 이르시고 “이 글에 곡조가 있나니 만일 외울 때에 곡조에 맞지 않으면 신선들이 웃으리라”하시고 상제께서 친히 곡조를 붙여서 읽으시고 종도들로 하여금 따라 읽게 하시니 이윽고 찬 기운이 도는지라. 상제께서 읽는 것을 멈추고 “최 수운이 왔으니 조용히 들어보라”말씀하시더니 갑자기 인경 위에서 “가장(家長)이 엄숙하면 그런 빛이 왜 있으리”라고 외치는 소리가 들리니 “이 말이 어디에 있느뇨”고 물으시니라. 한 종도가 대답하기를 “수운가사(水雲歌詞)에 있나이다.”상제께서 인경 위를 향하여 두어 마디로 알아듣지 못하게 수작하셨도다.

공사 3장 2절

상제께서 사명기(司命旗)를 세워 전 명숙과 최 수운의 원을 풀어주셨도다. 상제께서 피노리(避老里) 이 화춘(李化春)의 집에 이르셔서 그에게 누런 개 한 마리를 잡고 술 한 동이를 마련하게 하고 뒷산의 소나무 숲에서 가장 큰 소나무 한 그루와 남쪽 양달에 있는 황토를 파오게 하고 백지 넉 장을 청 홍 황의 세 색깔로 물들여서 모두 잇고 베어 온 소나무의 한 윗가지에 달게 하고 백지 석장에 각각 시천주를 쓰고 그 종이 석 장에 황토를 조금씩 싸서 함께 잇고 또 소나무 가지에 달고 그 나무를 집 앞에 세우시니 마치 깃대와 같은지라. 상제께서 종도들에게 가라사대 "이곳에서 전 명숙이 잡혔도다. 그는 사명기(司命旗)가 없어서 포한(抱恨)하였나니 이제 그 기를 세워주고 해원케 하노라." 다시 상제께서 사명기 한 폭을 지어 높은 소나무 가지에 달았다가 떼어 불사르시고 최 수운을 해원케 하셨도다.

교운 1장 65절

또 어느 날 상제께서 말씀하시길 "선도(仙道)와 불도(佛道)와 유도(儒道)와 서도(西道)는 세계 각 족속의 문화의 바탕이 되었나니 이제 최 수운(崔水雲)을 선도(仙道)의 종장(宗長)으로, 진묵(震黙)을 불교(佛敎)의 종장(宗長)으로, 주 회암(朱晦庵)을 유교(儒敎)의 종장(宗長)으로, 이마두(利瑪竇)를 서도(西道)의 종장(宗長)으로 각각 세우노라"고 하셨도다.

교법 1장 33절

수운(水雲) 가사에 "난법 난도(亂法亂道)하는 사람 날 볼 낯이 무엇인가"라 하였으니 삼가 죄 짓지 말지니라.

:道를 어지럽히고 법을 어지럽힌다.

교법 2장 3절

　최 수운의 가사에 "도기장존 사불입(道氣長存邪不入)"이라 하였으나 상제께서는 "진심견수 복선래(眞心堅守福先來)"라 하셨도다.

교법 3장 32절

　수운가사에 "제소위 추리(諸所謂推理)한다고 생각하나 그뿐이라" 하였나니 너희들이 이곳을 떠나지 아니함은 의혹이 더하는 연고라. 이곳이 곧 선방(仙房)이니라
.
예시 1절

　상제께서 구천에 계시자 신성·불·보살 등이 상제가 아니면 혼란에 빠진 천지를 바로잡을 수 없다고 호소하므로 서양(西洋) 대법국 천계탑에 내려오셔서 삼계를 둘러보고 천하를 대순하시다가 동토에 그쳐 모악산 금산사 미륵금상에 임하여 三十년을 지내시면서 최 수운에게 천명과 신교를 내려 대도를 세우게 하셨다가 갑자년에 천명과 신교를 거두고 신미년에 스스로 세상에 내리기로 정하셨도다.

예시 66절

상제께서 빗물로 벽에 인형을 그리고 그 앞에 청수를 떠놓고 꿇어앉아서 상여 운상의 소리를 내시고

　　"이마두를 초혼하여 광주 무등산(光州無等山) 상제봉조(上帝奉詔)에 장사하고 최 수운을 초혼하여 순창 회문산(淳昌回文山) 오선위기(五仙圍碁)에 장사하노라" 하시고 종도들에게 二十四절을 읽히고 또 말씀하시니라.

　　"그때도 이때와 같아서 천지에서 혼란한 시국을 광정(匡正)하려고 당 태종(唐太宗)을 내고 다시 二十四장을 내어 천하를 평정하였나니 너희들도 그들에게 밑가지 않는 대접을 받으리라."

예시 79절

　　상제께서 하루는 공우에게 말씀하시길

　　"동학 신자는 최 수운의 갱생을 기다리고, 불교 신자는 미륵의 출세를 기다리고, 예수 신자는 예수의 재림을 기다리나, 누구 한 사람만 오면 다 저의 스승이라 따르리라"고 하셨도다.

최 수운은 외선조이며
약사여래불의 후신이다.
봄 하늘의 첫 번째 자식이다.
나라로는 대한민국을 의미 한다.
신수로는 청룡을 상징한다.
후신으로는 탕 임금 이였으며

유비의 아들인 유선 이였으며
세종대왕 이였으며 사명대사였으며
고종 임금 이였다.
공사에서는
고부인과 문 공신 종도에게
그 기운을 붙여 공사를 보시었다.

7.진묵

행록 1장 31절

　김 형렬은 상제를 모시고 있던 어느 날 상제께 진묵(震黙)의 옛일을 아뢰었도다. "전주부중(全州府中)에 한 가난한 아전이 진묵과 친한 사이로서 하루는 진묵에게 가난을 벗어나는 방법을 물으니 진묵이 사옥소리(司獄小吏)가 되라고 일러주니 아전은 이는 적은 직책이라 얻기가 쉬운 것이라고 말하고 자리를 떠났으나 그 후에 아전은 옥리가 되어 당시에 갇힌 관내의 부호들을 극력으로 보살펴주었나이다. 그들은 크게 감동하여 출옥한 후에 옥리에게 물자로써 보답하였다 하나이다. 그리고 진묵은 밤마다 북두칠성을 하나씩 그 빛을 가두어 사람들에게 보이지 않게 하여 七일만에 모두 숨겨버렸다 하나이다. 태사관(太史官)이 이 변은 하늘이 재앙을 내리심이니 천하에 대사령을 내리시어 옥문을 열고 천의에 순종하사이다 하고 조정에 아뢰오니 조정은 그것이 옳음을 알고 대사령을 내렸다 하나이다."
　이 말을 상제께서 들으시고 말씀하시기를 "진실로 그러하였으리라. 내가 이를 본받아 한 달 동안 칠성을 숨겨서 세상 사람들의 발견을 시험하리라" 하시고 그날 밤부터 한 달 동안 칠성을 다 숨기시니 세상에서 칠성을 발견하는 자가 없었도다.

공사 1장 15절

그리고 상제께서 정 성백에게 젖은 나무 한 짐을 부엌에 지피게 하고 연기를 기선 연통의 그것과 같이 일으키게 하시고 "닻줄을 풀었으니 이제 다시 닻을 거두리라"고 말씀하시자 별안간 방에 있던 종도들이 모두 현기증을 일으켜 혹자는 어지럽고 혹자는 구토하고 나머지 종도는 정신을 잃었도다. 이 공사에 참여한 종도는 소 진섭(蘇鎭燮)·김 덕유(金德裕)·김 광찬(金光贊)·김 형렬(金亨烈)·김 갑칠(金甲七) 그리고 정 성백(鄭成伯)과 그의 가족들이었도다. 덕유는 문밖에서 쓰러져 설사를 하고 성백의 가족은 모두 내실에서 쓰러지고 갑칠은 의식을 잃고 숨을 잘 쉬지 못하는지라. 이를 보시고 상제께서 친히 청수를 갑칠의 입에 넣어 주시고 그의 이름을 부르시니 바로 그는 깨어나니라. 차례차례로 종도들과 가족의 얼굴에 청수를 뿌리거나 마시게 하시니 그들이 모두 기운을 되찾으니라. 덕유는 폐병의 중기에 있었던 몸이었으나 이 일을 겪은 후부터 그 증세가 없어졌도다. 이것은 무슨 공사인지 아무도 모르나 진묵(震默)의 초혼이란 말이 있도다.

공사 3장 14절

상제께서 전주 봉서산(全州鳳棲山) 밑에 계실 때 종도들에게 이야기를 들려주시니라. 김 봉곡(金鳳谷)이 시기심이 강한지라. 진묵(震默)은 하루 봉곡으로부터 성리대전(性理

大典)을 빌려 가면서도 봉곡이 반드시 후회하여 곧 사람을 시켜 찾아가리라 생각하고 걸으면서 한 권씩 읽고서는 길가에 버리니 사원동(寺院洞) 입구에서 모두 버리게 되나라. 봉곡은 과연 그 책자를 빌려주고 진묵이 불법을 통달한 자이고 만일 유도(儒道)까지 통달하면 상대할 수 없게 될 것이고 또 불법을 크게 행할 것을 시기하여 그 책을 도로 찾아오라고 급히 사람을 보냈도다. 그 하인이 길가에 이따금 버려진 책 한 권씩을 주워 가다가 사원동 입구에서 마지막 권을 주워 돌아가나라. 그 후에 진묵이 봉곡을 찾아가니 봉곡이 빌린 책을 도로 달라고 하는지라. 그 말을 듣고 진묵이 그 글이 쓸모가 없어 길가에 다 버렸다고 대꾸하니 봉곡이 노발대발하는도다. 진묵은 내가 외울 터이니 기록하라고 말하고 잇달아 한 편을 모두 읽는도다. 그것이 한 자도 틀리지 않으니 봉곡은 더욱더 시기하였도다.

공사 3장 15절

그 후에 진묵이 상좌에게 "내가 八일을 한정하고 시해(尸解)로써 인도국(印度國)에 가서 범서와 불법을 더 익혀 올 것이니 방문을 여닫지 말라"고 엄하게 이르고 곧 입적(入寂)하나라. 봉곡이 이 사실을 알고 절에 달려가서 진묵을 찾으니 상좌가 출타 중임을 알리나라. 봉곡이 그럼 방에 찾을 것이 있으니 말하면서 방문을 열려는 것을 상좌가 말렸으나 억지로 방문을 열었도다. 봉곡은 진묵의 상좌에게 "어찌하여 이런 시체를 방에 그대로 두어 썩게 하느냐. 중은 죽으면 화장하나니라"고 말하면서 마당에 나뭇더미를 쌓아 놓고 화장하니라. 상좌가 울면서 말렸으되 봉곡은 도리어 꾸짖으며 살 한 점도 남기지 않고 태우느니라. 진묵이 이것을 알고 돌아와 공중에서 외쳐 말하기를 "너와 나는 아무런 원수진 것이 없음에도 어찌하여 그러느냐." 상좌가 자기 스님의 소리를 듣고 울기에 봉곡이 "저것은 요귀(妖鬼)의 소리라. 듣지 말고 손가락뼈 한 마디도 남김없이 잘 태워야 하느니라"고 말하니 진묵이 소리쳐 말하기를 "네가 끝까지 그런다면 너의 자손은 대대로 호미를 면치 못하리라" 하고 동양의 모든 도통신(道通神)을 거느리고 서양으로 옮겨 갔도다.

교운 1장 65절

또 어느 날 상제께서 말씀하시길 "선도(仙道)와 불도(佛道)와 유도(儒道)와 서도(西道)는 세계 각 족속의 문화의 바탕이 되었나니 이제 최 수운(崔水雲)을 선도(仙道)의 종장(宗長)으로, 진묵(震黙)을 불교(佛敎)의 종장(宗長)으로, 주 회암(朱晦庵)을 유교(儒敎)의 종장(宗長)으로, 이마두(利瑪竇)를 서도(西道)의 종장(宗長)으로 각각 세우노라"고 하셨도다.

권지 2장 37절

상제께서 하루는 종도들에게 "진묵(震黙)이 천상에 올라가서 온갖 묘법을 배워 내려 인세에 그것을 베풀고자 하였으나 김 봉곡(金鳳谷)에게 참혹히 죽은 후에 원(冤)을 품고 동양의 도통신(道通神)을 거느리고 서양에 가서 문화 계발에 역사하였나니라. 이제 그를 해원시켜 고국(故國)으로 데려와서 선경(仙境) 건설에 역사케 하리라"고 말씀하셨도다.

예시 73절

신도(神道)로써 크고 작은 일을 다스리면 현묘 불측한 공이 이룩되나니 이것이 곧 무위화니라. 신도를 바로잡아 모든 일을 도의에 맞추어서 한량없는 선경의 운수를 정하리니 제 도수가 돌아 닿는 대로 새 기틀이 열리리라.

지나간 임진란을 최 풍헌(崔風憲)이 맡았으면 사흘에 불과하고, 진묵(震默)이 당하였으면 석 달이 넘지 않고, 송구봉(宋龜峰)이 맡았으면 여덟 달에 평란하였으리라. 이것은 다만 선·불·유의 법술이 다른 까닭이니라. 옛적에는 판이 좁고 일이 간단하므로 한 가지만 써도 능히 광란을 바로잡을 수 있었으되 오늘날은 동서가 교류하여 판이 넓어지고 일이 복잡하여져서 모든 법을 합하여 쓰지 않고는 혼란을 능히 바로잡지 못하리라.

진묵은 직선조이며 아미타불의 후신이다
나라로는 조선을 의미한다.
겨울 하늘의 첫 번째 자식이다.
신수로는 현무를 의미하며

후신으로는 우순 임금 이였으며
한고조였으며 조조였으며
흥선 대원군 이였다.
공사에서는 상제님 본인과
차 경석 종도에게
그 기운을 붙여 공사를 보시었다.

8.김일부

행록 2장 2절

  금구 내주동을 떠나신 상제께서는 익산군 이리(裡里)를 거쳐 다음날 김 일부(金一夫)를 만나셨도다. 그는 당시 영가무도(詠歌舞蹈)의 교법을 문도에게 펼치고 있던 중 어느날 일부가 꿈을 꾸었도다. 한 사자가 하늘로부터 내려와서 일부에게 강 사옥(姜士玉)과 함께 옥경(玉京)에 오르라는 천존(天尊)의 명하심을 전달하는도다. 그는 사자를 따라 사옥과 함께 옥경에 올라가니라. 사자는 높이 솟은 주루금궐 요운전(曜雲殿)에 그들을 안내하고 천존을 배알하게 하는도다. 천존이 상제께 광구천하의 뜻을 상찬하고 극진히 우대하는도다. 일부는 이 꿈을 꾸고 이상하게 생각하던 중 돌연히 상제의 방문을 맞이하게 되었도다. 일부는 상제께 요운(曜雲)이란 호를 드리고 공경하였도다.

공사 1장 7절

  상제께서 김 형렬의 집에서 그의 시종을 받아 명부공사를 행하시니라. 상제께서 형렬에게 "조선명부(朝鮮冥府)를 전 명숙(全明淑)으로, 청국명부(淸國冥府)를 김 일부(金一夫)로, 일본명부(日本冥府)를 최 수운(崔水雲)으로 하여금 주장하게 하노라"고 말씀하시고 곧 "하룻밤 사이에 대세가 돌려 잡히리라"고 말씀을 잇고 글을 써서 불사르셨도다.

예시 3절

　상제께서 광구천하하심은 김 일부의 꿈에 나타났으니 그는 상제와 함께 옥경에 올라가 요운전에서 원신(元神)이 상제와 함께 광구천하의 일을 의논하는 것을 알고 상제를 공경하여야 함을 깨달았도다.

교운 1장 53절

　상제께서 그 무리들 중에서 특별히 차 공숙을 뽑아 따로 말씀하셨는데 그는 소경이니라. 상제께서 "너는 통제사(統制使)가 되라. 一년 三百六十일을 맡았으니 돌아가서 三百六十명을 구하라. 이것은 곧 팔괘(八卦)를 맡기는 공사이니라"고 하셨도다. 공숙은 돌아가서 명을 좇아 새로운 한 사람을 구하여 상제께로 오니 상제께서 그 사람에게 직업을 물으시기에 그가 "농사에만 진력하고 다른 직업은 없사오며 추수 후에 한 번쯤 시장에 출입할 뿐이외다"고 여쭈니 "진실로 그대는 순민이로다"고 칭송하신 뒤에 그를 정좌케 하고 잡념을 금하셨도다. 그리고 상제께서 윤경을 시켜 구름이 어느 곳에 있는지를 알아보게 하시니 그가 바깥에 나갔다 오더니 "하늘이 맑고 오직 상제께서 계신 지붕 위에 돈닢만 한 구름 한 점이 있을 뿐이외다"고 아뢰는지라. 그 말을 듣고 계시던 상제께서 다시 "구름이 어디로 퍼지는가를 보아라"고 이르시니 윤경이 다시 바깥에 나갔다 오더니 "돈닢만 하던 구름이 벌써 온 하늘을 덮고 북쪽 하늘만 조금 틔어 있나이다"라고 여쭈는지라. 상제께서 "그곳이

조금 틔어 있다 하여 안 될 리가 없으리라"고 말씀하시고
두서너 시간이 지난 후에 그 사람을 보내셨도다.

김 일부는 신수 중 해치의 후신이다.
나라로는 청나라를 의미하며
후신으로는 장보고 김 유신
이 순신 장군 이였다.

해치는 옳고 그름을 판단하며 법을 수호하는 신수이다.
道를 수호하며 지키는 신성을 가지고 태어났다.
조선을 지키고 수호한다.

9.이율곡

행록 1장 32절

   상제께 김 형렬이 "고대의 명인은 지나가는 말로 사람을 가르치고 정확하게 일러주는 일이 없다고 하나이다"고 여쭈니 상제께서 실례를 들어 말하라고 하시므로 그는 "율곡(栗谷)이 이 순신(李舜臣)에게는 두률 천독(杜律千讀)을 이르고 이 항복(李恒福)에게는 슬프지 않는 울음에 고춧가루를 싼 수건이 좋으리라고 일러주었을 뿐이고 임란에 쓰일 일을 이르지 아니하였나이다"고 아뢰니라. 그의 말을 듣고 상제께서 "그러하리라. 그런 영재가 있으면 나도 가르치리라"고 말씀하셨도다.

그는 현장법사의 후신이다.
신라의 고승 혜초 였으며
항우의 책사 범증 이었다.

10.강감찬

권지 1장 23절

　상제께서 어느 해 여름에 김 형렬의 집에 계실 때 어느 날 밤에 그에게 말씀하시기를 "강 감찬은 벼락칼을 잇느라 욕보는구나. 어디 시험하여 보리라" 하시며 좌우 손으로 좌우 무릎을 번갈아 치시며 "좋다 좋다" 하시니 제비봉(帝妃峰)에서 번개가 일어나 수리개봉(水利開峰)에 떨어지고 또 수리개봉에서 번개가 일어나 제비봉에 떨어지니라. 이렇게 여러 번 되풀이 된 후에 "그만하면 쓰겠다" 하시고 좌우 손을 멈추시니 번개도 따라 그치는지라. 이튿날 종도들이 제비봉과 수리개봉에 올라가서 살펴보니 번개가 떨어진 곳곳에 수십 장 사이의 초목은 껍질이 벗겨지고 타 죽어 있었도다.

제비봉(帝妃峰) 수리개봉(水利開峰):
황후와 道의 이치를 연결하는 의미이다.

공사 2장 21절

　한번은 상제께서 임 상옥에게 사기그릇을 주신 뒤에 공우를 대동하고 전주로 가시는 도중에 세천에 이르시니 점심 때가 되니라. 공우가 상제를 고 송암(高松菴)의 친구 집에 모시고 상제께 점심상을 받게 하였도다. 상제께서 문득 "서양 기운을 몰아내어도 다시 몰려드는 기미가 있음을 이

상히 여겼더니 뒷골방에서 딴전 보는 자가 있는 것을 미처
몰랐노라"하시고 "고 송암에게 물어보고 오너라"고 공우
에게 이르시고 칠성경에 문곡(文曲)의 위치를 바꾸어 놓으
셨도다.

강 감찬은 보현보살의 후신이다.
신수로는 청호를 상징하며
나라로는 영국을 의미한다.
후신으로는 조운장군 강 감찬 장군
최 영 장군 이였다.

11.문수보살

예시 19절

　모친에게 장삼을 입혀 자리에 앉힌 다음에 쌀 서 말로 밥을 지어서 사방에 흩으시고 문수보살의 도수를 보시니라.

권지 2장 38절

　상제께서 김 형렬을 불러 물으셨도다. "네가 나의 사무를 담당하겠느냐." 형렬이 "재질이 둔박하와 감당치 못할까 하나이다"고 대답하는 것을 들으시고 상제께서 꾸짖으시니 형렬이 대하여 "가르치심에 힘입어 담당하겠나이다"고 여쭈니 상제께서 "무한 유사지 불명(無恨有司之不明)하라. 마속(馬謖)은 공명(孔明)의 친우로되 처사를 잘못함으로써 공명이 휘루참지(揮淚斬之)하였으니 삼가할지어다"고 일러 주셨도다.

문수보살의 후신으로
온 이는 마속 이였으며 황진이였으며 신사임당이였다..
나라로는 프랑스를 의미한다.

12.손병희

행록 5장 31절

　상제께서 二十三일 오전에 여러 종도들에게 가라사대 "이제 때가 바쁘니라. 너희들 가운데 임술생(壬戌生)으로서, 누이나 딸이 있거든 수부(首婦)로 내세우라." 형렬이 "수부로서 저의 딸을 세우겠나이다"고 아뢰니 말씀하시기를 "세수시키고 빤 옷으로 갈아입혀서 데려오라" 하시니라. 형렬이 명하신 대로 하여 딸을 상제 앞에 데려오니라. 상제께서 종도들로 하여금 약장을 방 한가운데 옮겨 놓게 하시고 그의 딸에게 약장을 세 번 돌고 그 옆에 서게 하고 경석에게 "대시 태조 출세 제왕 장상 방백 수령 창생점고 후비소(大時太祖出世帝王將相　方伯守令蒼生點考后妃所)"를 쓰라 이르시니라. 경석이 받아 쓸 제 비(妃)를 비(妣)로 잘못 쓴지라. 상제께서 그 쓴 종이를 불사르고 다시 쓰게 하여 그것을 약장에 붙이게 하고 "이것이 예식이니 너희들이 증인이니라"고 말씀을 끝내고 그의 딸을 돌려보내시니라. 상제께서 경석에게 그 글을 거둬 불사르게 하셨도다.

공사 2장 4절

　상제께서 어느 날 가라사대 "조선을 서양으로 넘기면 인종의 차별로 학대가 심하여 살아날 수가 없고 청국으로 넘겨도 그 민족이 우둔하여 뒷감당을 못할 것이라. 일본은 임진란 이후 도술신명 사이에 척이 맺혀 있으니 그들에게 맡겨 주어야 척이 풀릴지라. 그러므로 그들에게 일시 천하 통일지기(一時天下統一之氣)와 일월 대명지기(日月大明之氣)를 붙여 주어서 역사케 하고자 하나 한 가지 못 줄 것이 있으니 곧 인(仁)이니라. 만일 인 자까지 붙여주면 천하가 다 저희들에게 돌아갈 것이므로 인 자를 너희들에게 붙여 주노니 잘 지킬지어다"고 이르시고 "너희들은 편한 사람이 될 것이오. 저희들은 일만 할 뿐이니 모든 일을 밝게 하여 주라. 그들은 일을 마치고 갈 때에 품삯도 받지 못하고 빈손으로 돌아가리니 말대접이나 후덕하게 하라" 하셨도다.

권지 1장 33절

천도교 손 병희(孫秉熙)가 호남 일대를 순회하고자 전주에 내려와서 머물렀도다. 상제께서 공우에게 "네가 전주에 가서 손 병희를 돌려보내고 오라. 그는 사설로 교도를 유혹하여 그 피폐가 커지니 그의 순회가 옳지 않다"고 분부를 내리셨도다. 이에 그가 복명하였으되 이튿날 거기에 대해서는 아무런 말씀이 계시지 않으므로 이상히 여겼느니라. 며칠 후에 손 병희는 예정한 순회를 중지하고 경성으로 되돌아갔도다.

예시 59절
"대인의 행차에 삼초가 있으니 갑오(甲午)에 일초가 되고 갑진에 이초가 되었으며 삼초를 손 병희(孫秉熙)가 맡았나니 삼초 끝에 대인이 나오리라.”

이렇게 상제께서 종도들에게 말씀하시고 그의 만사를 다음과 같이 지어서 불사르셨도다.

知忠知義君事君　一魔無藏四海民
孟平春信倍名聲　先生大羽振一新

:충을 알고 의를 아는 그대가 군주를 섬기니,
사해의 백성들이 하나의 마도 감출 수 없게 만든다.
전국시대 사군자인 맹상군(齊) 평원군(趙)춘신군(楚) 신릉군(魏)의 명성보다도 훨씬 뛰어나니 선생이 큰 날갯짓을 떨치매 민족의 정기가 새로워지리라.

여기서 대인은 전 명숙을 의미 하며
지장보살이 깨달음을 얻어 대세지보살로 화현하는 것이다.
손 병희의 후신인 그녀가 대인을 깨달음으로 안내하는 역할을 맡은 것이다.

예시 60절

상제께서 “조선지말에 이란(吏亂)이 있으리라 하는데 그러하오리까”고 묻는 사람에게 말씀하시기를

“손 병희가 영웅이라. 장차 난리를 꾸미리니 그 일을 말함이나 그가 선진주(先眞主)라 박절하게 성돌 밑에서 턱을 괴고 앉아서 거의(擧義)하므로 성사치 못하리라.”

손 병희는 일본공주를 의미한다.
산으로는 지리산을 의미하며
여름하늘의 딸이다.
선천개벽 후 환웅 하나님의 부인인 웅녀이다.

신화는 천상계의 이야기이며
그 이야기는 신명계의 이야기이다
신명계의 이야기가 있고나서
하계에 그 일이 생기니 태어난 이가 단군이고
웅녀로 태어난 이가 손병희의 전생인 것이다.

공사 3장 19절

　종도들이 모여 있는 곳에서 어느 날 상제께서 "일본 사람이 조선에 있는 만고 역신(逆神)을 거느리고 역사를 하나니라. 이조 개국 이래 벼슬을 한 자는 다 정(鄭)씨를 생각하였나니 이것이 곧 두 마음이라. 남의 신하로서 이심을 품으면 그것이 곧 역신이니라. 그러므로 모든 역신이 두 마음을 품은 자들에게 이르기를 너희들도 역신인데 어찌 모든 극악을 행할 때에 역적의 칭호를 붙여서 역신을 학대하느뇨. 이럼으로써 저희들이 일본 사람을 보면 죄지은 자와 같이 두려워하니라"고 말씀하셨도다.

교법 3장 6절

　상제께서 가라사대 "만고 역신을 해원하여 모두 성수(星宿)로 붙여 보내리라. 만물이 다 시비가 있되 오직 성수는 시비가 없음이라. 원래 역신은 포부를 이루지 못한 자이므로 원한이 천지에 가득하였거늘 세상 사람은 도리어 그 일을 밉게 보아 흉악의 머리를 삼아 욕설로 역적놈이라 명칭을 붙였나니 모든 역신은 이것을 크게 싫어하므로 만물 중에 시비가 없는 성수로 보낼 수밖에 없나니라. 하늘도 노천(老天)과 명천(明天)의 시비가 있으며 땅도 후박의 시비가 있고 날도 수한의 시비가 있으며 바람도 순역의 시비가 있고 때도 한서의 시비가 있으나 오직 성수는 시비와 상극이 없나니라" 하셨도다.

"역신" 이라함은
큰 기운을 가진 신명을 말한다.
천지가 처음으로 개벽한 이후에 천지는
한 번도 조화를 이룬 적이 없었다.

두 개의 하늘이 생겨나고
네 개의 하늘이 생겨나며
스물여덟 개의 별이
서로 빛을 내며
천지의 주인이라 칭하였다
하계에서는 24개의 계절이 되어서
서로 천하의 주인이라 주장하였다.

상계와 중계 하계는
서로 연결 되어있고 하나이다.
신계의 신명들은
하계의 인간계로 태어났으며
서로 천하의 주인이 되려하였다.

갈라진 하늘 또한 천하의 주인이 되려 하였다.

처음의 천지는 암흑 이였다
무극 이라한다
그 안에 무한한 에너지가 있어서
그 무극 자체를 우주의 본원이라 부른다.

불가에서는 비로자나불이라 부르며
일심을 가진 이는 부처의 광명을 본다 하였다 .

도가에서는 원시천존이라 부른다
우리나라 신화에서는 환인 하나님이라 부른다.
우주 끝에도 있고 바로 앞에도 계신다.
형상은 없으시나 항상 존재하고 계신다.

그 기운과 통하여 처음 생하신 분이 환웅 하나님이시다
삼족오로 형상을 보여주시며 하계의
단군과 하나가 되어 새로운 세상을 항상 열어주셨다.
서양 신화에서는 프로메테우스이며
도가에서는 구천응원뇌성보화천존이라 부른다.

처음 인간으로 생한 이가 단군이다
도가에서는 뇌사노옹이라 부른다.
신선들의 우두머리라 부른다.
세분은 하나이시며 또한 셋이다.
개벽 후에 단 한번도 하나가
되지못한 우주가 하나가 된다.
그리하여 이전에도 없었고
이후에도 없는 道라 말한다.

공사 1장 35절

  상제께서 어느 날 경석에게 가라사대 "전에 네가 나의 말을 좇았으나 오늘은 내가 너의 말을 좇아서 공사를 처결하게 될 것인바 묻는 대로 잘 생각하여 대답하라" 이르시고 "서양 사람이 발명한 문명이기를 그대로 두어야 옳으냐 걷어야 옳으냐"고 다시 물으시니 경석이 "그대로 두어 이용함이 창생의 편의가 될까 하나이다"고 대답하니라. 그 말을 옳다고 이르시면서 "그들의 기계는 천국의 것을 본 딴 것이니라"고 말씀하시고 또 상제께서 여러 가지를 물으신 다음 공사로 결정하셨도다.

차 경석 종도(현무)에게 물으신 내용이다.
문명이기를 걷고 갔으면
천지는 또 다시 시작하여야 했을 것이다.
상제께서 신명을 해원하게 하시고
만고의 신명들에게
후천의 도통군자로
큰 임무를 맡기시니
상생의 道로 후천은 이루어지는 것이다.

5.도인의 마음가짐

대순전경의 교법을 설한다.

교법 1장 1절

이제 천하 창생이 진멸할 지경에 닥쳤음에도 조금도 깨닫지 못하고 오직 재리에만 눈이 어두우니 어찌 애석하지 않으리오.

교법 1장 2절

우리의 일은 남을 잘 되게 하는 공부이니라. 남이 잘 되고 남은 것만 차지하여도 되나니 전 명숙이 거사할 때에 상놈을 양반으로 만들고 천인(賤人)을 귀하게 만들어 주려는 마음을 두었으므로 죽어서 잘 되어 조선 명부가 되었느니라.

교법 1장 3절

일에 뜻을 둔 자는 넘어오는 간닢을 잘 삭혀 넘겨야 하리라.

교법 1장 4절

삼생(三生)의 인연이 있어야 나를 좇으리라.

교법 1장 5절

너희들이 믿음을 나에게 주어야 나의 믿음을 받으리라.

교법 1장 6절

나의 일은 남이 죽을 때 잘 살자는 일이요 남이 잘 살 때에 영화와 복록을 누리자는 일이니라.

교법 1장 7절

우리 공부는 물 한 그릇이라도 연고 없이 남의 힘을 빌리지 못하는 공부이니 비록 부자와 형제간이라도 함부로 의지하지 말지어다.

교법 1장 8절

상제께서 김 형렬에게 말씀하시니라. "망하려는 세간살이를 아낌없이 버리고 새로운 배포를 차리라. 만일 애석히 여겨 붙들고 놓지 않으면 따라서 몸마저 망하게 되리니 잘 깨달아라."

교법 1장 9절

  지금은 해원시대니라. 양반을 찾아 반상의 구별을 가리는 것은 그 선령의 **뼈**를 깎는 것과 같고 망하는 기운이 따르나니라. 그러므로 양반의 인습을 속히 버리고 천인을 우대하여야 척이 풀려 빨리 좋은 시대가 오리라.

교법 1장 10절

  상제께서 비천한 사람에게도 반드시 존댓말을 쓰셨도다. 김 형렬은 자기 머슴 지 남식을 대하실 때마다 존댓말을 쓰시는 상제를 대하기에 매우 민망스러워 "이 사람은 저의 머슴이오니 말씀을 낮추시옵소서"하고 청하니라. 이에 상제께서 "그 사람은 그대의 머슴이지 나와 무슨 관계가 있나뇨. 이 시골에서는 어려서부터 습관이 되어 말을 고치기 어려울 것으로되 다른 고을에 가서는 어떤 사람을 대하더라도 다 존경하라. 이후로는 적서의 명분과 반상의 구별이 없느니라"일러 주셨도다.

교법 1장 11절

  상제께서 김 갑칠이 항상 응석하여 고집을 부리나 상제께서 잘 달래여 웃으실 뿐이고 한 번도 꾸짖지 아니하시니 그는 더욱 심하여 고치지 않는도다. 형렬이 참지 못해 "저런 못된 놈이 어디 있느냐"고 꾸짖으니 상제께서 형렬에게 이르시기를 "그대의 언행이 아직 덜 풀려 독기가 있느니

라. 악장제거 무비초 호취간래 총시화(惡將除去無非草 好取看來總是花)라. 말은 마음의 외침이고 행실은 마음의 자취로다. 남을 잘 말하면 덕이 되어 잘 되고 그 남은 덕이 밀려서 점점 큰 복이 되어 내 몸에 이르나 남을 헐뜯는 말은 그에게 해가 되고 남은 해가 밀려서 점점 큰 화가 되어 내 몸에 이르나니라"하셨도다.

악장제거 무비초 호취간래 총시화
(惡將除去無非草 好取看來總是花)
:나쁘다고 제거하려 하면 잡초 아닌 것이 없고,
좋게 취해보면 꽃이 아닌 것이 없다

교법 1장 12절

상제께서 당신에 대하여 심히 비방하고 능욕하는 사람에게도 예로써 대하셨도다. 종도들이 불경한 자를 예우하시는 것을 좋지 않게 생각하기에 상제께서 말씀하시되 "저희들이 나에게 불손하는 것은 나를 모르는 탓이니라. 그들이 나를 안다면 너희가 나를 대하듯이 대하리라. 저희들이 나를 알지 못하고 비방하는 것을 내가 어찌 개의하리오"하셨도다.

교법 1장 13절

상제께서는 항상 밥알 하나라도 땅에 떨어지면 그것을 주우셨으며 "장차 밥을 찾는 소리가 구천에 사무칠 때가 오리니 어찌 경홀하게 여기리오. 한 날 곡식이라도 하늘이 아나니라"하셨도다.

교법 1장 14절

상제께서 종도들이 모여 있는 곳에서 가라사대 "칠산(七山) 바다에서 잡히는 조기도 먹을 사람을 정하여 놓고 그물에 잡히며 농사도 또한 그와 같이 먹을 사람을 정하여 놓고 맺느니라. 굶어 죽는 일은 없느니라"하셨도다.

교법 1장 15절

경석이 벼논에 날아드는 새 떼를 굳이 쫓거늘 말씀하시되 "한 떼의 새가 배를 채우는 것을 용납하지 않으니 어찌 천하 사람의 배를 채워 주기를 뜻하리오"하셨도다.

교법 1장 16절

세상에서 수명 복록이라 하여 수명을 복록보다 중히 여기나 복록이 적고 수명만 길면 그것보다 욕된 자가 없나니 그러므로 나는 수명보다 복록을 중히 하노니 녹이 떨어지면 죽나니라.

교법 1장 17절

상제께서 몇 달 동안 객망리 앞 주막에서 천지공사를 행하시니 종도가 많아지니라. 그 덕에 주막집 주인 오 동팔 (吳東八)이 돈을 모았는데 그 후 상제께서 비용이 떨어진 것을 알고 배척하는지라. 모든 종도가 그 주인의 무례에 노하니 상제께서 종도들의 언행을 억제하고 "무식한 사람이 어찌 예절을 알겠느뇨. 내가 무례에 성을 내면 신명이 그에게 큰 화를 줄 것이니 대인의 과차에 큰 덕을 베풀지 못하고 도리어 화를 끼친다면 그것이 무엇이 되리오"하고 타이르셨도다.

교법 1장 18절

　세속에 전하여 내려온 모든 의식과 허례를 그르게 여겨 말씀하시길 "이는 묵은 하늘이 그르게 꾸민 것이니 장차 진법이 나리라" 하셨도다.

교법 1장 19절

　자고로 화복이라 하나니 이것은 복보다 화를 먼저 겪는다는 말이니 당하는 화를 견디어 잘 받아 넘겨야 복이 이르느니라.

교법 1장 20절

　상제께서 남을 비방하는 데 대해서 "사람마다 제 노릇 제가 하는 것인데 제 몸을 생각지 못하고 어찌 남의 시비를 말하리오"하고 깨우쳐 주셨도다.

교법 1장 21절

"마음을 깨끗이 가져야 복이 이르나니 남의 것을 탐내는 자는 도적의 기운이 따라들어 복을 이루지 못하나니라"하셨도다.

교법 1장 22절

사람이 옳은 말을 듣고 실행치 않는 것은 바위에 물 주기와 같으니라.

교법 1장 23절

마음은 성인의 바탕으로 닦고 일은 영웅의 도략을 취하여야 되느니라.

교법 1장 24절

상제께서 말씀하시기를 "부귀한 자는 빈천을 즐기지 않으며 강한 자는 약한 것을 즐기지 않으며 지혜로운 자는 어리석음을 즐기지 않으니 그러므로 빈천하고 병들고 어리석은 자가 곧 나의 사람이니라"하셨도다.

교법 1장 25절

　인망을 얻어야 신망에 오르고 내 밥을 먹는 자라야 내 일을 하여 주느니라.

교법 1장 26절

　뱀도 인망을 얻어야 용이 되나니 남에게 말을 좋게 하면 덕이 되나니라.

교법 1장 27절

　상제께서 이르시기를 "나를 모르는 자가 항상 나를 헐뜯나니 내가 만일 같이 헐뜯어서 그것을 갚으면 나는 더욱 어리석고 용렬한 자가 되니라"고 하셨도다.

교법 1장 28절

　상제께서 까닭 없이 오해를 받고 구설을 사서 분개하는 사람을 가리켜 "바람도 불다가 그치나니 남의 시비를 잘 이기라. 동정에 때가 있나니 걷힐 때에는 흔적도 없이 걷히나니라"고 말씀하셨도다.

교법 1장 29절

신명은 탐내어 부당한 자리에 앉거나 일들을 편벽되게 처사하는 자들의 덜미를 쳐서 물리치나니라. 자리를 탐내지 말며 편벽된 처사를 삼가하고 덕을 닦기에 힘쓰고 마음을 올바르게 가지라. 신명들이 자리를 정하여 서로 받들어 앉히리라.

교법 1장 30절

천지 안에 있는 말은 하나도 거짓말이 없느니라.

교법 1장 31절

한 사람의 품은 원한으로 능히 천지의 기운이 막힐 수 있느니라
.
교법 1장 32절

창생이 큰 죄를 지으면 천벌을 받고 작은 죄를 지은 자는 신벌 혹은 인벌을 받느니라.

교법 1장 33절

수운(水雲) 가사에 "난법 난도(亂法亂道)하는 사람 날 볼 낯이 무엇인가"라 하였으니 삼가 죄 짓지 말지니라.

:법과 도를 문란하게 함

교법 1장 34절

　악을 악으로 갚는 것은 피로 피를 씻는 것과 같으니라.

교법 1장 35절

　동학 가사에 "운수는 길어가고 조같은 잠시로다" 하였으니 잘 기억하여 두라.

교법 1장 36절

　죄가 없어도 있는 듯이 잠시라도 방심 말고 조심하라.

교법 1장 37절

　상제께서 경석이 과거의 잘못을 생각하고 심히 근심하는 것을 아시고 가라사대 "일찍 모든 허물을 낱낱이 생각하여 풀어 버리라고 하였는데 어찌 지금까지 남겨 두었느냐. 금후 다시 생각지 말라" 하셨도다.

교법 1장 38절

　상제께서 안 내성에게 말씀하셨도다. "불의로써 남의 자제를 유인하지 말며 남과 다투지 말며 천한 사람이라 천대하지 말며 남의 보화를 탐내지 말라. 보화라는 글자 속에 낭패라는 패 자가 들어 있느니라.”

교법 1장 39절

상제께서 어느 날 부친에게 “일생을 살아오시는 중에 잘못된 일을 빠짐없이 기록하시라” 하시므로 상제의 부친은 낱낱이 기록하여 유 칠룡(兪七龍)을 시켜 올리니 상제께서 받고 일일이 보신 후 불사르시며 “이제 잘못된 과거는 다 풀렸으나 짚신을 더 삼아야 한다”고 하시더니 부친은 종전대로 임자(壬子)년까지 八년간 신을 삼았도다.

교법 1장 40절

상제께서 정 남기의 집에 이르셨을 때 그 아우의 부모에 대한 불경한 태도를 보시고 그의 죄를 뉘우치게 하시니라. 그 아우가 부친으로부터 꾸중을 듣고 불손하게 대답하고 밖으로 뛰어나갔다가 다시 안으로 들어오려는데 문 앞에서 갑자기 우뚝 서서 움직이지 못하고 땀만 뻘뻘 흘리면서 연달아 소리만 지르니 가족들이 놀라 어찌할 줄 모르는지라. 상제께서 조금 지나서 그의 아우를 돌아보시고 “어찌 그렇게 곤욕을 보느냐”고 물으시니 그제서야 그의 아우가 몸을 굽히고 정신을 차리는지라. 그 까닭을 가족들이 물으니 그의 아우가 밖으로부터 들어오는데 갑자기 정신이 아찔하더니 숨이 막혀 마음대로 통하지 못하였다 하니라. 상제께서 이르시기를 "그때에 너는 숨이 막히고 답답하여 견디기 어려웠으리라" 하시며 크게 꾸짖어 가라사대 "네가 부친에게 불경한 태도를 취했을 때 부모의 가슴은 어떠하였겠느냐 너의 죄를 깨닫고 다시는 그런 말을 함부로 하지 말지니라"고 일러 주셨도다.

교법 1장 41절

상제께서 장 익모(張益模)의 집에 가셨을 때 그가 자기 어린 아들을 지극히 귀여워하는 것을 보시고 그에게 교훈하시기를 "복은 위로부터 내려오는 것이요 아래로부터 올라오는 것이 아니니 사람의 도의로서 부모를 잘 공양하라" 하셨도다.

교법 1장 42절

상제께서 박 공우가 아내와 다투고 구릿골을 찾아왔기에 별안간 꾸짖으시기를 "나는 독하면 천하의 독을 다 가졌고 선하면 천하의 선을 다 가졌노라. 네가 어찌 내 앞에 있으면서 그런 참되지 못한 행위를 하느뇨. 이제 천지신명이 운수자리를 찾아서 각 사람과 각 가정을 드나들면서 기국을 시험하리라. 성질이 너그럽지 못하여 가정에 화기를 잃으면 신명들이 비웃고 큰일을 맡기지 못할 기국이라 하여 서로 이끌고 떠나가리니 일에 뜻을 둔 자가 한시라도 어찌 감히 생각을 소홀히 하리오" 하셨도다.

교법 1장 43절

　상제께서 김 보경에게 글을 써 주시면서 이르시기를 "너의 소실과 상대하여 소화하라." 보경이 그 후 성병에 걸려 부득이 본가로 돌아와 달포 동안 머물고 있을 때 웅포에 살던 소실은 다른 곳으로 가버렸느니라. 상제께서 그에게 가라사대 "본처를 저버리지 말라" 하시고 성병을 곧 낫게 하셨도다.

교법 1장 44절

　세상에서 우순(虞舜)을 대효라 일렀으되 그 부친 고수(瞽瞍)의 이름을 벗기지 못하였으니 어찌 한스럽지 아니하리오.

교법 1장 45절

　"내가 너를 데리고 다니는 것은 네 뱃속에 경우가 많은 연고니라. 여자도 경우가 많아야 아이를 많이 낳으리라"고 공우(公又)에게 말씀하셨도다.

교법 1장 46절

　상부하여 순절하는 청춘과부를 가리켜 말씀하시기를 "악독한 귀신이 무고히 인명을 살해하였도다" 하시고 글을 써서 불사르시니 그 글은 이러하였도다.
　忠孝烈 國之大綱然 國亡於忠 家亡於孝 身亡於烈

:충효열은 나라에 큰 벼리이다.
그러나 나라는 충으로 망하고,
집안은 효로 망하며 몸은 열로 망한다.

문자에 현혹되어서 인생을 망치지 말라는 말씀이다.
문자에는 신명의 기운이 들어 있으며
그 기운은 그 세계를 만든다.
바르게 깨달음을 얻은 눈으로
문자를 바라보아야 할 것이며
그 후에 바른 삶을 살아야 할 것이다.

교법 1장 47절

"곡하는 것이 옳습니까" 하는 종도들의 궁금증을 상제께서 풀어주시고자 말씀하시기를 "원통하게 죽은 신에게 우는 것이 가하나 그렇지 않게 죽은 신에게는 곡하지 않는 것이 옳으니라" 하셨도다.

교법 1장 48절

제수(祭需)는 깨끗하고 맛있는 것이 좋은 것이요, 그 놓여 있는 위치로써 귀중한 것은 아니니라. 상복은 죽은 거지의 귀신이 지은 것이니라.

교법 1장 49절

　신은 사람이 먹는 대로 흠향하니라.

교법 1장 50절

　김 송환이 사후 일을 여쭈어 물으니 상제께서 가라사대 "사람에게 혼과 백이 있나니 사람이 죽으면 혼은 하늘에 올라가 신이 되어 후손들의 제사를 받다가 사대(四代)를 넘긴 후로 영도 되고 선도 되니라. 백은 땅으로 돌아가서 사대가 지나면 귀가 되니라" 하셨도다.

교법 1장 51절

　유부녀를 범하는 것은 천지의 근원을 어긋침이니 죄가 워낙 크므로 내가 관여치 않노라.

교법 1장 52절

　상제께서는 항상 종도들에게 일을 명하실 때에는 반드시 기한을 정하여 주시고 종도들로 하여금 어기지 않게 하셨도다. 상제께서는 종도들에게 "내가 너희에게 어찌 고르지 못한 날을 일러주랴" 하시니, 상제께서 정하여 주신 날은 한번도 순조롭지 아니한 때가 없었도다.

교법 1장 53절

너희들은 항상 평화를 주장하라. 너희들끼리 서로 싸움이 일어나면 밖에서는 난리가 일어나리라.

교법 1장 54절

사람들끼리의 싸움은 천상에서 선령신들 사이의 싸움을 일으키나니 천상 싸움이 끝난 뒤에 인간 싸움이 결정되나니라.

교법 1장 55절

트집을 잡고 싸우려는 사람에게 마음을 누그리고 지는 사람이 상등 사람이고 복된 사람이니라. 분에 이기지 못하여 어울려 싸우는 자는 하등 사람이니 신명의 도움을 받지 못하리라. 어찌 잘 되기를 바라리오.

교법 1장 56절

원수의 원을 풀고 그를 은인과 같이 사랑하라. 그러면 그도 덕이 되어서 복을 이루게 되나니라.

교법 1장 57절

남을 속이지 말 것이니 비록 성냥갑이라도 다 쓴 뒤에는 빈 갑을 반드시 깨어서 버려야 하나니라.

교법 1장 58절

  죄 중에 노름의 죄가 크나니라. 다른 죄는 혼자 범하는 것이로되 노름 죄는 남까지 끌어들이고 또 서로 속이지 않고는 목적을 이루지 못하는 까닭이니라.

교법 1장 59절

  어떤 일을 묻는 자에게 그 사람이 듣고 실행하느냐에 상관하지 말고 바른 대로 일러 주라.

교법 1장 60절

  식불언(食不言)이라 하였으니 먹는 것을 말하지 말며 침불언(寢不言)이라 하였으니 남의 누행을 말하지 말라.

식불언 : 음식을 먹을 때에는 쓸데없는 말을 삼가야 함
침불언 : 잠자리에서는 다른 이의 험담을 보는 것을 삼가야 함

교법 1장 61절

  글도 일도 않는 자는 사 농 공 상(士農工商)에 벗어난 자이니 쓸 데가 없느니라.

:

교법 1장 62절

　선천에서는 하늘만 높이고 땅은 높이지 아니하였으되 이 것은 지덕(地德)이 큰 것을 모름이라. 이 뒤로는 하늘과 땅 을 일체로 받들어야 하느니라.

지덕 :집터의 운이 틔고 복이 들어오는 기운

교법 1장 63절

　선천에는 눈이 어두워서 돈이 불의한 사람을 따랐으나 이 뒤로는 그 눈을 밝게 하여 선한 사람을 따르게 하리라.

교법 1장 64절

　돈이란 것은 순환지리로 생겨 쓰는 물건이니라. 억지로 구하여 쓸 것은 못되나니 백년 탐물(百年貪物)이 일조진(一 朝塵)이라.

:백년 탐한 재물은
하루 아침의 티끌이다.

교법 1장 65절

　현세에 아는 자가 없나니 상도 보이지 말고 점도 치지 말지어다.

교법 1장 66절

　서교는 신명의 박대가 심하니 감히 성공하지 못하리라.

:천마는 울지 않는다.

교법 1장 67절

　이제 해원시대를 맞이하였으니 사람도 명색이 없던 사람이 기세를 얻고 땅도 버림을 받던 땅에 기운이 돌아오리라.

교법 1장 68절

　후천에서는 그 닦은 바에 따라 여인도 공덕이 서게 되리니 이것으로써 예부터 내려오는 남존여비의 관습은 무너지리라.

교법 2장 1절

상제께서 정미년 정월에 형렬에게 가라사대 "나의 말이 곧 약이라. 말로써 사람의 마음을 위안하기도 하며 말로써 사람의 마음을 거슬리게도 하며 말로써 병든 자를 일으키기도 하며 말로써 죄에 걸린 자를 풀어주기도 하니 이것은 나의 말이 곧 약인 까닭이니라. 충언이 역이로되 이어행(忠言逆耳利於行)이라. 나는 허망한 말을 아니 하나니 내 말을 믿으라"하셨도다.

충언이 역이로되 이어행
(忠言逆耳利於行)
:충언은 귀에 거슬리나
행하는 데는 이롭다

교법 2장 2절

대인의 말은 구천에 이르나니 또 나의 말은 한 마디도 땅에 떨어지지 않으리니 잘 믿으라.

교법 2장 3절

최 수운의 가사에 "도기장존 사불입(道氣長存邪不入)"이라 하였으나 상제께서는 "진심견수 복선래(眞心堅守福先來)"라 하셨도다.

도기장존 사불입(道氣長存邪不入)
:도의 기운이 항상 머물고 있으면
삿된 기운이 들어오지 못한다.

진심견수 복선래(眞心堅守福先來)
: 진심을 굳게 지키면 복이 먼저 이른다.

교법 2장 4절

  인간의 복록은 내가 맡았으나 맡겨 줄 곳이 없어 한이로다. 이는 일심을 가진 자가 없는 까닭이라. 일심을 가진 자에게는 지체 없이 베풀어 주리라.

교법 2장 5절

  이제 범사에 성공이 없음은 한마음을 가진 자가 없는 까닭이라. 한마음만을 가지면 안 되는 일이 없느니라. 그러므로 무슨 일을 대하든지 한마음을 갖지 못한 것을 한할 것이로다. 안 되리라는 생각을 품지 말라.

교법 2장 6절

  진실로 마음을 간직하기란 죽기보다 어려우니라.

교법 2장 7절

  나를 믿고 마음을 정직히 하는 자는 하늘도 두려워하느니라.

교법 2장 8절

  부귀한 자는 자만 자족하여 그 명리를 돋우기에 마음을 쏟아 딴 생각을 머금지 아니하나니 어느 겨를에 나에게 생각이 미치리오. 오직 빈궁한 자라야 제 신세를 제가 생각하여 도성 덕립을 하루 속히 기다리며 운수가 조아들 때마다 나를 생각하리니 그들이 내 사람이니라.

교법 2장 9절

  너희들이 이제는 이렇듯 나에게 친숙하게 추종하나 후일에는 눈을 떠서 바로 보지 못하리니 마음을 바로하고 덕을 닦기에 힘쓰라. 동학가사에 "많고 많은 저 사람에 어떤 사람 저러하고 어떤 사람 그러한가"와 같이 탄식 줄이 저절로 나오리라.

교법 2장 10절

  공우는 종도들이 모두 상투를 틀고 있는데 자신은 삭발하였기에 그들과 싸이기 어려우므로 불안하게 생각한 나머지

머리를 길러 솔잎상투에 갓망건을 쓰고 다니다가 금구(金溝)를 지나던 어느 날 일진회의 전 동지 十여 명을 만나 그들의 조소를 받고 머리를 깎여 두어 달 동안 바깥 출입을 금하고 다시 머리를 기르는 중이었도다. 돌연히 상제께서 찾아오셔서 한동안 출입하지 않는 까닭을 물으시니 공우가 사실 그대로 아뢰니라. 상제께서 이르시기를 "나는 오직 마음을 볼 뿐이로다. 머리와 무슨 상관하리오."이 말씀을 하시고 공우를 데리시고 구릿골로 떠나셨도다.

교법 2장 11절

　상제께서 종도들에게 "후천에서는 약한 자가 도움을 얻으며 병든 자가 일어나며 천한 자가 높아지며 어리석은 자가 지혜를 얻을 것이요 강하고 부하고 귀하고 지혜로운 자는 다 스스로 깎일지라"고 이르셨도다.

교법 2장 12절

　상제께서 이르시기를 "너희들이 항상 도술을 배우기를 원하나 지금 가르쳐 주어도 그것은 바위에 물주기와 같아 안으로 들어가지 않고 밖으로 흘러가니라. 필요할 때가 되면 열어주리니 마음을 부지런히 하여 힘쓸지니라"하셨도다.

교법 2장 13절

　내가 비록 서촉에 있을지라도 일심을 가지는 자에게 빠짐

없이 찾으리라.

교법 2장 14절

　이제 각 선령신들이 해원시대를 맞이하여 그 선자 선손을 척신의 손에서 빼내어 덜미를 쳐 내세우나니 힘써 닦을지어다.

교법 2장 15절

　"나는 해마를 위주하므로 나를 따르는 자는 먼저 복마의 발동이 있으리니 복마의 발동을 잘 견디어야 해원하리라"고 타이르셨도다.

교법 2장 16절

　허물이 있거든 다 자신의 마음속으로 풀라. 만일 다 풀지 않고 남겨두면 몸과 운명을 그르치니라.

교법 2장 17절

　사람마다 그 닦은 바와 기국에 따라 그 사람의 임무를 감당할 신명의 호위를 받느니라. 남의 자격과 공부만 추앙하고 부러워하고 자기 일에 해태한 마음을 품으면 나의 신명이 그에게 옮겨 가느니라.

교법 2장 18절

모든 일에 외면수습을 버리고 음덕에 힘쓰라. 덕은 음덕이 크니라.

교법 2장 19절

남이 나에게 비소하는 것을 비수로 알고 또 조소하는 것을 조수로 알아라. 대장이 비수를 얻어야 적진을 헤칠 것이고 용이 조수를 얻어야 천문에 오르나니라.

교법 2장 20절

사람들이 예로부터 "길성 소조(吉星所照)"라 하여 길성을 구하러 다니나 길성이 따로 있는 것이 아니니라. 때는 해원시대이므로 덕을 닦고 사람을 올바르게 대우하라. 여기서 길성이 빛이 나니 이것이 곧 피난하는 길이니라.

길성 소조(吉星所照):상서로운 별이 비치는 장소
피난 :재난을 피하여 있는 곳을 옮겨감

교법 2장 21절

믿는 자를 손가락으로 세어 꼽았으되 그자가 배신하여 손가락을 펼 때에는 살아나지 못하리라.

교법 2장 22절

   도를 닦은 자는 그 정혼이 굳게 뭉치기에 죽어도 흩어지지 않고 천상에 오르려니와 그렇지 못한 자는 그 정혼이 희미하여 연기와 물거품이 삭듯 하리라.

교법 2장 23절

   전쟁사를 읽지 마라. 전승자의 신은 춤을 추되 패전자의 신은 이를 가나니 이것은 도를 닦는 사람의 주문 읽는 소리에 신응(神應)되는 까닭이니라.

신응(神應) : 신이 따라 움직인다.

교법 2장 24절

   가장 두려운 것은 박람 박식(博覽博識)이니라.

박람 박식(博覽博識) : 사물을 널리 보고
들어 아는 것이 많음

교법 2장 25절

   시속에 어린 학동에게 통감을 가르치는 풍습이 생겼나니 이것은 어릴 때부터 시비로써 성품을 기르려는 것이니 웅패의 술이로다. 어찌 합당하다 하리오.

교법 2장 26절

　상제께서 항상 말씀하시기를 "서전 서문(書傳序文)을 많이 읽으면 도에 통하고 대학 상장(大學上章)을 되풀이 읽으면 활연 관통한다"하셨느니라. 상제의 부친께서는 말씀하신 대로 많이 읽지는 못하였으나 끊임없이 읽었으므로 지혜가 밝아져서 마을 사람들의 화난을 덜어 준 일이 많았도다.

교법 2장 27절

　어느 때 종도들이 모여 있는 곳에서 상제께서 "선비는 항상 지필묵(紙筆墨)을 지녀야 하나니라"고 말씀하셨도다.

:바람은 신이 인간에게 영감을 주는 신호이다.
스쳐지나가는 생각이 영감이 되어
그의 삶을 바꾸게 만든다.
스치는 생각을 메모하여 두어라
영감이란 신령스러운 기운이고 신명이 귀에 대고
당신에게 속삭이는 소리임을 깨달아야 할 것이다.

교법 2장 28절

　김 형렬이 출타하였다가 집에 돌아오는 길에 예수교 신자 김 중구(金重九)가 술이 만취되어 김 형렬을 붙들고 혹독하게 능욕하는지라. 형렬이 심한 곤욕을 겪고 돌아와서 상제께 사실을 아뢰니 상제께서 형렬에게 "청수를 떠 놓고 네 허물을 살펴 뉘우치라" 하시니 형렬이 명하신 대로 시행하였도다. 그 후 김 중구는 한때 병으로 인해서 사경을 헤매었다고 하느니라. 이 소식을 형렬로부터 들으시고 상제께서 다시 그에게 충고하시기를 "금후에 그런 일이 있거든 상대방을 원망하기에 앞서 먼저 네 몸을 살피는 것을 잊지 말지어다. 만일 허물이 네게 있을 때에는 그 허물이 다 풀릴 것이요 허물이 네게 없을 때에는 그 독기가 본처로 돌아가리라" 하셨도다.

허물 : 저지른 잘못. 모자라는 점이나 결점.

교법 2장 29절

　종도 두 사람이 상제 앞에서 사담하기를 남기(南基)는 일본말을 배우지 못함을 후회하고 영서(永西)는 배우가 되지 못함을 후회하니라. 이때 갑자기 남기는 유창하게 일본말을 하고 영서는 상복을 입은 채 상건을 흔들며 일어나서 노래하고 춤추고 상복 소매로 북치는 시늉을 해보이며 땀을 뻘뻘 흘리고 있는지라. 상제께서 이를 보시고 웃으며 가라사대 "남기의 말은 일본사람과 틀림없고 영서의 재주는 배우 중에서도 뛰어나니라" 하시니 두 사람이 비로소 정신을 차리고 부끄러워하느니라. 그제야 상제께서 타이르시기를 "대인을 배우는 자는 헛된 일을 하지 않느니라" 하셨도다.

교법 2장 30절

"훼동도자(毀東道者)는 무동거지로(無東去之路)하고 훼서도자(毀西道者)는 무서거지로(無西去之路)하니라"고 류 찬명(柳贊明)에게 이르셨도다.

:동쪽의 도를 훼손한 자는 동쪽 길로 갈수 없고,
서쪽의도를 훼손한 자는 서쪽 길로 갈수 없음.

교법 2장 31절

또 공우의 성질이 사나워서 남과 자주 다투기에 하루는 상제께서 공우에게 "너는 표단이 있으니 인단으로 갈음하라"고 말씀하시고 난 뒤로는 성질이 누그러지고 남에게 이기려고 하지 않고 다시 다투지 아니하였도다.

교법 2장 32절

김 광찬은 동곡에 있으면서 상제께서 차 경석과 상종하시는 것을 과히 좋게 생각하지 않으니라. 그는 경석이 본래 동학당이고 일진회에 참가하여 불의한 일을 많이 행하였을 터인데도 이제 그를 도문에 들여놓은 것은 상제의 공평하지 못하심이라고 불평하고 때로는 "우리가 도덕을 힘써 닦아 온 것이 모두 허탕이 되리라"고 상제를 원망하기도 하기에 형렬이 상제를 배알하여 그 사유를 고하리라고 말하여 그를 위로하였도다. 어느 날 형렬이 광찬을 데리고 상제께 배알하였으나 그 사유를 모두 고하지 못하고 오후에 돌아가려 할 때에 상제께서 광찬에게 "주인은 김 형렬이 좋으니 동곡에 가서 있으라" 일러 주시고 형렬을 따로 불러 가만히 "광찬을 데리고 집에 돌아가서 잘 위로하여 주라"고 일러 보내셨도다.

교법 2장 33절

　현하의 대세가 씨름판과 같으니 아기판과 총각판이 지난 후에 상씨름으로 판을 마치나니라.

교법 2장 34절

　상제께서 경석에게 가르치시기를 "모든 일이 욕속부달(欲速不達)이라. 사람 기르기가 누에 기르기와 같으니 잘 되고 못 되는 것은 다 인공에 있느니라."

욕속부달(欲速不達) :일을 너무 빨리하고자
서두르면 도리어 이루지 못함

교법 2장 35절

　믿기를 활을 다루듯이 하라. 활을 너무 성급히 당기면 활이 꺾어지나니 진듯이 당겨야 하느니라.

교법 2장 36절

　상제께서 종도들에게 가르치시기를 "하늘이 사람을 낼 때에 헤아릴 수 없는 공력을 들이나니라. 그러므로 모든 사람의 선령신들은 六十년 동안 공에 공을 쌓아 쓸 만한 자손 하나를 타 내되 그렇게 공을 들여도 자손 하나를 얻지 못하는 선령신들도 많으니라. 이같이 공을 들여 어렵게 태어난 것을 생각할 때 꿈같은 한 세상을 어찌 잠시인들 헛되게 보내리오"하셨도다.

교법 2장 37절

　이제 너희들에게 다 각기 운수를 정하였노니 잘 받아 누릴지어다. 만일 받지 못한 자가 있으면 그것은 성심이 없는 까닭이니라.

교법 2장 38절

　상제께서 종도들에게 "운수는 열려도 자신이 감당치 못하면 본곳으로 되돌아가기도 하고 혹 다른 사람에게 옮겨지기도 하리라. 잘 믿을지어다"고 경고하셨도다.

교법 2장 39절

　공사의 일꾼이 된 자는 마땅히 씨름판을 본따를지니 씨름판에 뜻을 두는 자는 반드시 판 밖에서 음식을 취하고 기운을 길렀다가 끝판을 벼르느니라.

교법 2장 40절

　사람을 쓸 때는 남녀 노약을 구별하지 않느니라. 그러므로 진평(陳平)은 야출 동문 여자 이천인(夜出東門女子二千人) 하였느니라.

:밤에 여자 2,000명을
동쪽 문으로 내보내다

교법 2장 41절

　상제께서 공사하신 일을 어떤 사람이 "증산(甑山)께서 하는 일은 참으로 폭 잡을 수 없다" 말하거늘 상제께서 들으시고 가라사대 "대인의 일은 마땅히 폭을 잡기 어려워야 하나니 만일 폭을 잡힌다면 어찌 범상함을 면하리오" 하셨도다.

교법 2장 42절

　"동학가사(東學歌辭)에 세 기운이 밝혀있으니 말은 소、

장(蘇秦 張儀)의 웅변이 있고 앎은 강절(康節)의 지식이 있고 글은 이ㆍ두(李太白 杜子美)의 문장이 있노라 하였으니 잘 생각하여 보라"고 이르셨도다.

소ㆍ장(蘇秦 張儀)의 웅변
:소진과 장의처럼 말솜씨가 좋은 사람을 이르는 말

이ㆍ두(李太白 杜子美) :이태백과 두보

교법 2장 43절

속담에 "맥 떨어지면 죽는다" 하나니 연원(淵源)을 바르게 잘하라.

연원(淵源) :사물이나 일 따위의 근원

교법 2장 44절

속담에 "무척 잘 산다" 이르나니 이는 척이 없어야 잘 된다는 말이라. 남에게 억울한 원한을 짓지 말라. 이것이 척이 되어 보복하나니라. 또 남을 미워하지 말라. 사람은 몰라도 신명은 먼저 알고 척이 되어 갚나니라.

교법 2장 45절

또 상제께서 "춘무인(春無仁)이면 추무의(秋無義)라. 농가에서 추수한 후에 곡식 종자를 남겨 두나니 이것은 오직 토지를 믿는 연고이니라. 그것이 곧 믿는 길이니라" 하셨도다.

춘무인(春無仁)이면 추무의(秋無義)
:봄에 어질음이 없으면
가을에 옳음이 없음

교법 2장 46절

이웃 사람이 주는 맛없는 음식을 먹고 혹 병이 생겼을지라도 사색을 내지 말라. 오는 정이 끊겨 또한 척이 되나니라.

교법 2장 47절

고부(古阜)는 예절을 찾는 구례(求禮)이니라.

고부(古阜) :산소
구례(求禮) :옛 예절

교법 2장 48절

바람이 불었다가도 그치느니라(風亦吹而息)" 하듯이 움직이고 가만히 있는 것은 다 때가 있느니라.

교법 2장 49절

한 신(韓信)은 한 고조(漢高祖)의 퇴사 식지(推食食之)와 탈의 의지(脫衣衣之)의 은혜에 감격하여 괴철(蒯徹)의 말을 듣지 아니하였으니 이것은 한 신이 한 고조를 저버린 것이 아니요 한 고조가 한 신을 저버린 것이니라.

퇴사 식지(推食食之)와 탈의 의지(脫衣衣之)
:밥을 물려 먹여주고 옷을 벗어 입혀줌

한 신은 명부시왕의 후신이고
한 고조는 직선조의 후신이다.

교법 2장 50절

"한 고조는 소하(蕭何)의 덕으로 천하를 얻었나니 너희들은 아무것도 베풀 것이 없는지라. 다만 언덕(言德)을 잘 가져 남에게 말을 선하게 하면 그가 잘 되고 그 여음이 밀려서 점점 큰 복이 되어 내 몸에 이르고 남의 말을 악하게 하면 그에게 해를 입히고 그 여음이 밀려와서 점점 큰 화가 되어 내 몸에 이르나니 삼가할지니라"하셨도다.

교법 2장 51절

대학(大學)에 "물유본말하고 사유종시하니 지소선후면 즉

근도의(物有本末 事有終始 知所先後 卽近道矣)"라 하였고
또 "기 소후자에 박이요 기 소박자에 후하리 미지유야(其
所厚者薄 其所薄者厚 未之有也)"라 하였으니 이것을 거울
로 삼고 일하라.

:사물에는 근본과 말단이 있고,
일에는 마침과 시작함이 있으니,
먼저하고 나중에 할 바를 알면,
도에 가까워진다.

:후하게 할 바를 박하게 하고,
박하게 할 바를
후하게 하는 일이 없었다

교법 2장 52절

　위천하자(爲天下者)는 불고가사(不顧家事)라 하였으되 제
갈 량(諸葛亮)은 유상 팔백 주(有桑八百株)와 박전 십오 경
(薄田十五頃)의 탓으로 성공하지 못하였느니라.

위천하자(爲天下者)는 불고가사(不顧家事):천하를 다스리는 자는
가정 일을 돌아보지 못한다.
제갈 량(칠성여래)
유상팔백주(有桑八百株):뽕나무 팔백그루(800여명의 수도인들)
박전십오경(薄田十五頃):메마르고 거친 밭 15경(15개의수도장소)

교법 2장 53절

생각에서 생각이 나오나니라.

교법 2장 54절

상제께서 "양이 적은 자에게 과중하게 주면 배가 터질 것
이고 양이 큰 자에게 적게 주면 배가 고플 터이니 각자의
기국(器局)에 맞추어 주리라"고 말씀하셨도다.

기국(器局) :사람의 도량과 재능을 아울러 이르는 말

교법 2장 55절

지난 선천 영웅시대는 죄로써 먹고 살았으나 후천 성인시
대는 선으로써 먹고 살리니 죄로써 먹고 사는 것이 장구하
랴, 선으로써 먹고 사는 것이 장구하랴. 이제 후천 중생으
로 하여금 선으로써 먹고 살 도수를 짜 놓았도다.

교법 2장 56절

천존과 지존보다 인존이 크니 이제는 인존시대라. 마음을
부지런히 하라.

교법 2장 57절

상제께서 하루는 공사를 행하시고 "대장부(大丈夫) 대장부(大丈婦)"라 써서 불사르셨도다.

대장부(大丈夫) 대장부(大丈婦)
:건장하고 씩씩한 사나이
건장하고 씩씩한 며느리

교법 2장 58절

후천에는 계급이 많지 아니하나 두 계급이 있으리라. 그러나 식록은 고르리니 만일 급이 낮고 먹기까지 고르지 못하면 어찌 원통하지 않으리오.

교법 3장 1절

상제께서 "나는 하늘도 뜯어고치고 땅도 뜯어고치고 사람에게도 신명으로 하여금 가슴 속에 드나들게 하여 다 고쳐 쓰리라. 그러므로 나는 약하고 병들고 가난하고 천하고 어리석은 자를 쓰리니 이는 비록 초목이라도 기운을 붙이면 쓰게 되는 연고이니라" 말씀하셨도다.

교법 3장 2절

천지에 신명이 가득 차 있으니 비록 풀잎 하나라도 신이 떠나면 마를 것이며 흙 바른 벽이라도 신이 옮겨가면 무너

지나니라.

교법 3장 3절

나의 말은 늘지도 줄지도 않고 여합부절(如合符節)이니라.

여합부절(如合符節) :사물이 꼭 들어맞음

교법 3장 4절

이제 하늘도 뜯어고치고 땅도 뜯어고쳐 물샐틈없이 도수를 짜 놓았으니 제 한도에 돌아 닿는 대로 새 기틀이 열리리라. 또 신명으로 하여금 사람의 뱃속에 출입케 하여 그 체질과 성격을 고쳐 쓰리니 이는 비록 말뚝이라도 기운을 붙이면 쓰임이 되는 연고니라. 오직 어리석고 가난하고 천하고 약한 것을 편이하여 마음과 입과 뜻으로부터 일어나는 모든 죄를 조심하고 남에게 척을 짓지 말라. 부하고 귀하고 지혜롭고 강권을 가진 자는 모두 척에 걸려 콩나물 뽑히듯 하리니 묵은 기운이 채워 있는 곳에 큰 운수를 감당키 어려운 까닭이니라. 부자의 집 마루와 방과 곳간에는 살기와 재앙이 가득 차 있나니라.

:묵은 기운은 노천의 기운을 의미한다.

교법 3장 5절

지금은 신명시대니 삼가 힘써 닦고 죄를 짓지 말라. 새 기운이 돌아 닥칠 때에 신명들이 불칼을 들고 죄지은 것을 밝히려 할 때에 죄지은 자는 정신을 잃으리라.

교법 3장 6절

　상제께서 가라사대 "만고 역신을 해원하여 모두 성수(星宿)로 붙여 보내리라. 만물이 다 시비가 있되 오직 성수는 시비가 없음이라. 원래 역신은 포부를 이루지 못한 자이므로 원한이 천지에 가득하였거늘 세상 사람은 도리어 그 일을 밉게 보아 흉악의 머리를 삼아 욕설로 역적놈이라 명칭을 붙였나니 모든 역신은 이것을 크게 싫어하므로 만물 중에 시비가 없는 성수로 보낼 수밖에 없나니라. 하늘도 노천(老天)과 명천(明天)의 시비가 있으며 땅도 후박의 시비가 있고 날도 수한의 시비가 있으며 바람도 순역의 시비가 있고 때도 한서의 시비가 있으나 오직 성수는 시비와 상극이 없나니라" 하셨도다.

성수(星宿) :이십팔수의 스물다섯째 별자리
(태미원이고 태청을 의미한다.)

노천(老天) :묵은 하늘
명천(明天) :밝은 하늘

성수는 후천을 의미하는 별자리이다.

교법 3장 7절

내가 보는 일이 한 나라의 일에만 그치면 쉬울 것이로되 천하의 일이므로 시일이 많이 경과하노라.

교법 3장 8절

공사를 행하실 때나 또 어느 곳에 자리를 정하시고 머무르실 때에는 반드시 종도들에게 정심을 명하시고 혹 방심하는 자가 있을 때에는 보신 듯이 마음을 거두라고 명하셨도다.

교법 3장 9절

상제께서 형렬에게 교훈하시기를 "다른 사람이 잘 되는 것을 부러워 말라. 아직도 남아 있는 복이 많으니 남은 복을 구하는 데에 힘쓸지어다. 호한 신천 유불사(呼寒信天猶不死)이니라."

:호한이라는 새는 하늘을 믿는 이유로 죽지 않는다.

교법 3장 10절

상제께서 병욱에게 이르시니라. "남은 어떻게 생각하든지 너는 전 명숙(全明淑)의 이름을 더럽히지 말라. 너의 영귀에는 전 명숙의 힘이 많으니라."

교법 3장 11절

　상제께서 타인에게 도움을 베푸셔도 그 사람이 알지 못하는도다. 이 일을 언제나 마땅치 않게 여겨 오던 형렬이 상제께 아뢰기를 "상제께서 자식을 태어주시고도 그 부모에게 알리지 않으시오니 무슨 까닭이오니까." 상제께서 가라사대 "내가 할 일을 할 뿐이고 타인이 알아주는 것과는 관계가 없느니라. 타인이 알아주기를 바라는 것은 소인이 하는 일이니라."

교법 3장 12절

　상제께서 천원(川原)장에서 예수교 사람과 다투다가 큰 돌에 맞아 가슴뼈가 상하여 수십 일 동안 치료를 받으며 크게 고통하는 공우를 보시고 가라사대 "너도 전에 남의 가슴을 쳐서 사경에 이르게 한 일이 있으니 그 일을 생각하여 뉘우치라. 또 네가 완쾌된 후에 가해자를 찾아가 죽이려고 생각하나 네가 전에 상해한 자가 이제 너에게 상해를 입힌 측에 붙어 갚는 것이니 오히려 그만하기 다행이라. 네 마음을 스스로 잘 풀어 가해자를 은인과 같이 생각하라. 그러면 곧 나으리라." 공우가 크게 감복하여 가해자를 미워하는 마음을 풀고 후일에 만나면 반드시 잘 대접할 것을 생각하니라. 수일 후에 천원 예수교회에 열두 고을 목사가 모여서 대전도회를 연다는 말이 들려 상제께서 가라사대 "네 상처를 낮게 하기 위하여 열두 고을 목사가 움직였노라" 하시니라. 그 후에 상처가 완전히 나았도다.

:도인의 생각에 신명이 응하며 병을 치유한다.
그리고 다른 세계가 펼쳐지며 조화가 일어난다.
남을 이해하고 위하는 생각의 기운은 경이롭다.

교법 3장 13절

　상제께서 몇 달 동안 경석을 대동하시고 공사를 보셨도다. 이때 상제께서 임피(臨陂) 최 군숙(崔君淑)의 집에 머물고 계셨는데 어느 날 이곳을 떠나 동곡에 들르지 아니하고 바로 태인으로 가셨느니라. 이 일로써 광찬은 "우리는 다 무용지물이라"고 더욱 불평을 품고 상제를 크게 원망하는지라. 형렬은 민망하여 태인 하마가로 찾아가서 상제를 배알하고 광찬의 불평을 알리면서 "어찌 그러한 성격의 소유자를 문하에 머물게 하시나이까"고 의견을 아뢰니 상제께서 "용이 물을 구할 때에 비록 가시밭길이라도 피하지 않느니라"고 말씀하시니라. 형렬이 곧 돌아와서 광찬에게 "고인 절교 불출오성(古人絶交不出惡聲)"이라 이르고 금후부터 불평을 말끔히 풀라고 달랬도다.

고인 절교 불출오성(古人絶交不出惡聲)
:옛 사람은 절교할 때
비난하는 소리를 내지 않는다.

교법 3장 14절

　상제께서 김 병욱이 차력약을 먹고자 하기에 "네가 약을 먹고 차력하여 태전을 지겠느냐. 길품을 팔겠느냐. 난리를 치겠느냐. 그것은 사약이니라"고 이르시고 그런 생각을 버리게 하셨도다.

교법 3장 15절

　또 하루는 경석에게 가라사대 "갑오년 겨울에 너의 집에서 三인이 동맹한 일이 있느냐"고 물으시니 그렇다고 대답하니라. 상제께서 "그 일을 어느 모해자가 밀고함으로써 너의 부친이 해를 입었느냐"고 하시니 경석이 낙루하며 "그렇소이다"고 대답하니라. 또 가라사대 "너의 형제가 음해자에게 복수코자 함은 사람의 정으로는 당연한 일이나 너의 부친은 이것을 크게 근심하여 나에게 고하니 너희들은 마음을 돌리라. 이제 해원시대를 당하여 악을 선으로 갚아야 하나니 만일 너희들이 이 마음을 버리지 않으면 후천에 또다시 악의 씨를 뿌리게 되니 나를 좇으려거든 잘 생각하여라" 하시니라. 경석이 세 아우와 함께 옆방에 모여 서로 원심을 풀기로 정하고 상제께 고하니 상제께서 "그러면 뜰 밑에 짚을 펴고 청수 한 동이를 떠다 놓은 후 그 청수를 향하여 너의 부친을 대한 듯이 마음을 돌렸음을 고백하라" 하시니 경석의 네 형제가 명을 좇아 행하는데 갑자기 설움이 복받쳐 방성대곡하니라. 이것을 보시고 상제께서 "너의 부친은 너희들이 슬피 우는 것을 괴로워하니 그만 울음을 그치라" 이르시니라. 그 후에 "천고춘추 아방궁 만방일월 동작대(千古春秋阿房宮 萬方日月銅雀臺)"란 글을 써서 벽에 붙이시며 경석으로 하여금 항상 마음에 두게 하셨도다.

천고춘추 아방궁 만방일월 동작대
(千古春秋阿房宮 萬方日月銅雀臺)
:오래전 춘추시대의 아방궁은
만방에서 해와 달(명부와 칠성)이
만드는 봉황(임금의 자리)이다.

해와 달은 지장보살과
관세음보살을 의미하며 봉황은
임금(아미타불과 약사여래불)을 애기한다.

교법 3장 16절

　하루는 상제께서 자신이 하시는 일을 탕자의 일에 비유하시니라. "옛날에 어떤 탕자가 있었느니라. 그는 자신이 방탕하여 보낸 허송세월을 회과자책하여 내 일생을 이렇게 헛되게 보내어 후세에 남김이 없으니 어찌 한스럽지 아니하리요, 지금부터라도 신선을 만나서 선학을 배우겠노라고 개심하니라. 그러던 차에 갑자기 심신이 상쾌하여지더니 돌연히 하늘에 올라가 신선 한 분을 만나니라. 그 신선이 네가 이제 뉘우쳐 선학을 뜻하니 심히 가상하도다. 내가 너에게 선학을 가르치리니 정결한 곳에 도장을 짓고 여러 동지를 모으라고 이르니라. 방탕자는 그 신선의 말대로 정신을 차리고 동지를 모으기 시작하였으나 만나는 사람마다 그의 방탕을 알고 따르지 않는지라. 겨우 몇 사람만의 응낙을 받고 이들과 함께 도장을 차렸던바 갑자기 천상으로부터 채운이 찬란하고 선악소리가 들리더니 그 신선이 나타나서 선학을 가르쳤도다."

교법 3장 17절

그리고 하루는 종도들에게 지난날의 일을 밝히시니라. "최 풍헌(崔風憲)이라는 고흥(高興) 사람은 류 훈장(柳訓長)의 하인인데 늘 술에 취해 있는 사람과 같이 그 언행이 거칠으나 일 처리에 남보다 뛰어난지라 훈장은 속으로 그 일꾼을 아꼈도다. 훈장은 왜군이 침입한다는 소문에 민심이 흉악해지는 터에 피난할 길을 그에게 부탁하였으되 풍헌은 수차 거절하다가 주인의 성의에 이기지 못하여 "가산을 팔아서 나에게 맡길 수 있나이까" 하고 물었느니라. 류 훈장이 기꺼이 응낙하고 가산을 팔아서 그에게 맡겼도다. 풍헌은 그 돈을 받아가지고 날마다 술을 마시며 방탕하여도 류 훈장은 아예 모르는 체하더니 하루는 최 풍헌이 죽었다는 부고를 받고 뜻밖의 일로 크게 낙담하면서 풍헌의 집에 가서 보니 초상난지라. 그는 하는 수 없이 그의 아들을 위로하고 "혹 유언이나 없었더냐"고 물으니 그 아들이 "류 훈장에게 통지하여 그 가족들에게 복을 입혀 상여를 따라서 나를 지리산(智異山) 아무 곳에 장사하게 하라"고 전하니라. 이 유언을 듣고 류 훈장은 풍헌을 크게 믿었던 터이므로 집에 돌아와서 가족에게 의논하니 다만 큰 아들만이 아버지의 말씀을 좇는도다. 사흘이 지나 모두들 운상하여 지리산 골짜기에 이르렀을 때 산상에서 "상여를 버리고 이곳으로 빨리 오르라"는 소리가 들리는지라. 모두 그쪽을 바라보니 최 풍헌이라. 모두들 반겨 좇아 올라가니 그곳의 집 한 채에 풍부한 식량이 마련되어 있느니라. 다시 최 풍헌을 따라 산꼭대기에 올라가서 그가 가리키는 대로 내려다보니 사방이 불바다를 이루고 있는지라. 그 까닭을 물으니 그는 왜병이 침입하여 마을마다 불을 지른 것이라 이르도다."

교법 3장 18절

상제께서 깊은 밤중에 태인읍에서 종도들을 데리고 산에 올라가서 공사를 행하신 후에 그들에게 "이 공사에 천지대신명이 모였으니 그들이 해산할 때에 반드시 참혹한 응징이 있으리라"고 말씀을 마치시자 뜻밖에 태인읍으로부터 군중의 고함소리가 일어나는지라. 종도들이 상제를 모시고 산에서 내려와 이를 살피니 군중이 신 경현(辛敬玄)의 주막에 뛰어들어가서 세간살이와 술 항아리를 모두 부쉈도다. 원래 신 경현은 술장사를 시작한 이후 읍내 청년들의 호감을 얻어서 돈을 모았으나 그 청년들이 궁핍하면 냉대하므로 그들이 그의 몰인정에 분개하여 습격한 것이었도다. 그 이튿날 상제께서 경현의 주막에 가시니 그 부부가 서로 울면서 다른 곳으로 이사하려 하거늘 상제께서 아무 말씀을 않고 경현의 부인에게 술을 청하였으나 그 여인이 "술 항아리를 모두 깨었으니 무슨 술이 있사오리까"고 말하거늘 가라사대 "저 궤 속에 감추어 둔 소주를 가져오라" 하시니라. 그 여인은 당황하여 "선생님 앞에서는 조금도 숨길 수 없나이다"고 말하면서 작은 병에 담겨 있는 소주를 따라 올리니 상제께서 경현 부부에게 "모든 일에 옳고 그름이 다 나에게 있는 것이지 위치에 의하여 있는 것이 아니니 이후로 모든 일을 잘 생각하여 할지어다. 그렇게 하면 앞길이 다시 열리고 영업이 흥성하리라"고 타이르시니라. 이 부부는 타이르신 대로 이사를 중지하고 허물을 고치고 장사를 계속하더니 얼마 안 되어 영업이 다시 흥성하여지니라.

교법 3장 19절

상제께서 일찌기 손바래기 시루산에서 호둔을 보시고 범의 성질이 너무 사나워 사람을 잘 해친다 하기에 그 성질을 알아보시니라. "사람이 전부 돼지 같은 짐승으로 보이니 범을 그대로 두었다가는 사람들이 그 피해를 심하게 입을 것이므로 종자를 전할 만큼 남겨 두고 번성치 못하게 하였노라"고 종도들에게 이르셨도다.

교법 3장 20절

상제께서 최 익현(崔益鉉)이 순창에서 체포되었다는 소식을 접하고 가라사대 "일심의 힘이 크니라. 같은 탄알 밑에서 정 낙언(鄭樂彦)은 죽고 최 면암(崔勉菴)은 살았느니라. 이것은 일심의 힘으로 인함이니라. 일심을 가진 자는 한 손가락을 튕겨도 능히 만 리 밖에 있는 군함을 물리치리라" 하셨도다.

상제께서 최 익현의 만장을 다음과 같이 지으셨도다.

讀書崔益鉉　義氣束劒戟

十月對馬島　曳曳山河橇

:글을 읽던 최 익현이
의기는 창칼을 하나로 묶었네
시월 대마도에서 쓰러지니
산하에 교(橇)를 길게 끌었네

교법 3장 21절

죄는 남의 천륜을 끊는 것보다 더 큰 것이 없나니 최 익현이 고종(高宗) 부자의 천륜을 끊었으므로 죽어서 나에게 하소연하는 것을 볼지어다.

:고종부자는 직선조와 외선조의 후신이다.
자신의 고집대로 해서는 절대로 안 되는 일이 있다.

교법 3장 22절

조선과 같이 신명을 잘 대접하는 곳이 이 세상에 없도다.

신명들이 그 은혜를 갚고자 제각기 소원에 따라 부족함이 없이 받들어 줄 것이므로 도인들은 천하사에만 아무 거리낌 없이 종사하게 되리라.

교법 3장 23절

세계의 모든 족속들은 각기 자기들의 생활 경험의 전승(傳承)에 따라 특수한 사상을 토대로 색다른 문화를 이룩하였으되 그것을 발휘하게 되자 마침내 큰 시비가 일어났도다. 그러므로 상제께서 이제 민족들의 제각기 문화의 정수를 걷어 후천에 이룩할 문명의 기초를 정하셨도다.

교법 3장 24절

상제께서 교훈하시기를 "인간은 욕망을 채우지 못하면 분통이 터져 큰 병에 걸리느니라. 이제 먼저 난법을 세우고 그 후에 진법을 내리나니 모든 일을 풀어 각자의 자유 의사에 맡기노니 범사에 마음을 바로 하라. 사곡한 것은 모든 죄의 근본이요, 진실은 만복의 근원이 되니라. 이제 신명으로 하여금 사람에게 임하여 마음에 먹줄을 겨누게 하고 사정의 감정을 번갯불에 붙이리라. 마음을 바로 잡지 못하고 사곡을 행하는 자는 지기가 내릴 때에 심장이 터지고 뼈마디가 퉁겨지리라. 운수야 좋건만 목을 넘어가기가 어려우리라."

:해원이 끝나고 진법이 나올 때

수도인 들이 마음자세에 따라
도통자리가 정해짐을 말씀하심.

교법 3장 25절

번개가 번쩍이고 천둥이 요란하게 치는 어느 날 상제께서
종도들에게 가라사대 "뒷날 출세할 때는 어찌 이러할 뿐이
리오. 뇌성 벽력이 천지를 진동하리라. 잘못 닦은 자는 앉
을 자리에 갈 때에 나를 따르지 못하고 엎드려지리라. 부
디 마음을 부지런히 닦고 나를 깊이 생각하라"하셨도다.

신도는 냉정하고 무서운 것이다.
당신이 상상하지 못할 정도로 . . .

교법 3장 26절

옛적에 신성(神聖)이 입극(立極)하여 성·웅(聖雄)을 겸비
해 정치와 교화를 통제 관장(統制管掌)하였으되 중고 이래
로 성과 웅이 바탕을 달리하여 정치와 교화가 갈렸으므로
마침내 여러 가지로 분파되어 진법(眞法)을 보지 못하게 되
었느니라. 이제 원시반본(原始返本)이 되어 군사위(君師位)
가 한 갈래로 되리라.

:성(현무)과 웅(용마)이 하나가 된다.

신성(神聖)이 입극(立極)

:거룩하고 성스러움이
자리에 다하여 성스러움과 용기

통제 (統制)
:일정한 방침이나 목적에 따라
행위를 제한하거나 제약함

관장(管掌)
:일을 맡아서 다룸

 진법(眞法) :참된 법

원시반본(原始返本) :모든 것의 근본이 시원으로 돌아간다.

군사위(君師位) :임금과 스승의 자리

교법 3장 27절

　나는 생·장·염·장(生長斂藏)의 사의(四義)를 쓰나니 이
것이 곧 무위이화(無爲而化)니라.

무위이화(無爲而化) :애써 힘들이지 않아도
저절로 변화하여 잘 이루어짐

교법 3장 28절

　모든 일을 알기만 하고 쓰지 않는 것은 차라리 모르는 것만 못하리라. 그러므로 될 일을 못 되게 하고 못 될 일을 되게 하여야 하나니 손 빈(孫臏)의 재조는 방 연(龐涓)으로 하여금 마릉(馬陵)에서 죽게 하였고 제갈 량(諸葛亮)의 재조는 조 조(曹操)로 하여금 화용도(華容道)에서 만나게 하는 데 있느니라.

교법 3장 29절

　천지　종용지사(天地從容之事)도　자아유지(自我由之)하고 천지　분란지사(天地紛亂之事)도　자아유지하나니 공명지 정대(孔明之正大)와 자방지 종용(子房之從容)을 본받으라.

:천지가 차분하고 들뜨지 않아
찬찬한 것도 스스로 말미암은 것이고
천지가 어수선하고 소란스러운 것도
스스로 말미암은 것이다.

정대(正大) :하는 일이나 행동이
아주 공정하고 떳떳함

종용(從容) :차분하고 들뜨지 않아 찬찬하다.

교법 3장 30절

  또 가라사대 "난을 짓는 사람이 있어야 다스리는 사람이
있나니 치우(蚩尤)가 작란하여 큰 안개를 지었으므로 황제
(黃帝)가 지남거(指南車)로써 치란하였도다. 난을 짓는 자
나 난을 다스리는 자나 모두 조화로다. 그러므로 최 제우
(崔濟愚)는 작란한 사람이요 나는 치란하는 사람이니라. 전
명숙은 천하에 난을 동케 하였느니라."

치우 :사신 (일본왕을 의미)
황제 :생신 (조선왕을 의미)

지남거 :고대 중국의 주나라 때,
인형을 세워서 항상 남쪽만
가리키게 장치했다고 하는 수레

교법 3장 31절

  옛적부터 상통천문(上通天文)과 하달지리(下達地理)는 있
었으나 중찰인의(中察人義)는 없었나니 이제 나오리라.

상통천문(上通天文) :천체에서 일어나는
여러 가지 일들에 대해서 잘 앎

하달지리(下達地理) :땅의 이치에 통달함

중찰인의(中察人義)
:치우침이 없이 사람의 도리를 깨우침
(자신의 모습만을 보지 말고
다른 이의 마음을 살펴보아야 한다.)

교법 3장 32절

  수운가사에 "제소위 추리(諸所謂推理)한다고 생각하나 그 뿐이라" 하였나니 너희들이 이곳을 떠나지 아니함은 의혹이 더하는 연고라. 이곳이 곧 선방(仙房)이니라.

제소위 추리(諸所謂推理) :흔히 말하는 바대로 알고 있는 사실을 바탕으로 하여 알지 못하는 것을 미루어 생각함

선방(仙房) :신선의 집

교법 3장 33절

  위 징(魏徵)은 밤이면 옥경에 올라가 상제를 섬기고 낮이면 당 태종(唐太宗)을 섬겼다 하거니와 나는 사람의 마음을 뺐다 넣었다 하리라.

교법 3장 34절

  상제께서 종도들에게 가라사대 "선천에서는 상극지리가 인간과 사물을 지배하였으므로 도수가 그릇되어 제자가 선생을 해하는 하극상(下克上)의 일이 있었으나 이후로는 강

륜(綱倫)이 나타나게 되므로 그런 불의를 감행하지 못할 것이니라. 그런 짓을 감행하는 자에게 배사율(背師律)의 벌이 있으리라"하셨도다.

하극상(下克上) :계급이나 신분이 낮은 사람이 부당한 방법으로 윗사람을 꺾어 누르거나 없앰

강륜(綱倫) :근본이 되는 도리

배사율(背師律) :스승을 배반하는 율법
(후천의 세상에서 퇴출되어 영원히 사라진다.)

교법 3장 35절

　선천에는 "모사(謀事)가 재인(在人)하고 성사(成事)는 재천(在天)이라"하였으되 이제는 모사는 재천하고 성사는 재인이니라. 또 너희가 아무리 죽고자 하여도 죽지 못할 것이요 내가 놓아주어야 죽느니라.

모사재인 성사재천
:일을 꾸미는 것은 사람에게 달렸다는 뜻으로,
되든 안 되든 간에 결과는 하늘에
맡기고 일을 힘써 꾀하는 것을 이르는 말

교법 3장 36절

천하의 대세가 가구판 노름과 같으니 같은 끗수에 말수가 먹느니라.

교법 3장 37절

이 세상에 전하여 오는 모든 허례는 묵은 하늘이 그릇되게 꾸민 것이니 앞으로는 진법이 나오리라.

교법 3장 38절

이제 동서양이 교류되어 여러 가지 주의(主義)가 일고 허다한 단체가 생기나니 이것은 성숙된 가을에 오곡을 거둬 결속하는 것과 같은 것이니라.

주의(主義) :한 개인이나 집단이 평소에 지니고 생활하는 일정한 신념 체계, 또는 그와 유사한 타성의 경향을 비유적으로 이르는 말

교법 3장 39절

어떤 사람이 계룡산(鷄龍山)에 정씨가 도읍하는 비결을 묻기에 상제께서 이렇게 이르시니라. "일본인이 산속만이 아니라 깊숙한 섬 속까지 샅샅이 뒤졌고 또 바다 속까지 측량하였느니라. 정씨(鄭氏)가 몸을 붙여 일을 벌일 곳이 어디에 있으리오. 그런 생각을 아예 버리라."

교법 3장 40절

상제께서 어떤 사람이 계룡산(鷄龍山) 건국의 비결을 물으니 "동서양이 통일하게 될 터인데 계룡산에 건국하여 무슨 일을 하리오." 그자가 다시 "언어(言語)가 같지 아니하니 어찌 하오리까"고 묻기에 "언어도 장차 통일되리라"고 다시 대답하셨도다.

교법 3장 41절

후천에서는 종자를 한 번 심으면 해마다 뿌리에서 새싹이 돋아 추수하게 되고 땅도 가꾸지 않아도 옥토가 되리라. 이것은 땅을 석 자 세 치를 태우는 까닭이니라.

교법 3장 42절

원시반본하는 때라 혈통줄이 바로잡혀 환부역조와 환골하는 자는 다 죽으리라.

혈통줄 : 한 조상에서 비롯하여 그 피를 이어받아 내려오는 계통

환부역조 : 아버지와 할아버지를 바꾼다는 뜻으로, 지체가 낮은 사람이 부정한 수법으로 대를 이을 자손이 없는 양반집의 뒤를 이어 양반 행세를 함을 이르는 말 (거짓된 천자)
자신의 분수를 알고 자신의 자리를 깨달으라는 말씀이심

환골 :사악한 사람이 덕 있는 사람으로 바뀜
(천자를 도모하는 자는 모두 다 죽을 것이다.)

교법 3장 43절

　세상이 급박해질 때 산도 물도 붉어지리라. 자식이 지중하지마는 제 몸을 돌볼 겨를이 없으리라. 어찌 자식의 손목을 잡아 끌어낼 사이가 있으리오.

개벽은 순간에 온다.
마음을 바로잡고 생각을 바꿔야 한다.
마음을 돌리지 않는다면 세상은 사라질 것이고
새로 지어진 세상에는 당신은 없을 것이다 . . .
눈처럼 녹아버릴 찰나의 영화에 당신의 운명을
걸지 않기를 간절하게 바란다.

교법 3장 44절

　상제께서 이런 말씀을 종도들 앞에서 하신 적이 있느니라. "내가 출세할 때에는 하루 저녁에 주루 보각(珠樓寶閣)十만 간을 지어 각자가 닦은 공덕에 따라 앉을 자리에 앉혀서 신명으로 하여금 각자의 옷과 밥을 마련하게 하리라. 못 앉을 자리에 앉은 자는 신명들이 그 목을 끌어 내리라."

주루 보각(珠樓寶閣) :옥으로 된 훌륭한 집

교법 3장 45절

내가 일 하고자 들어앉으면 너희들은 아무리 나를 보려고 하여도 못 볼 것이요 내가 찾아야 보게 되리라.

교법 3장 46절

대저 아무 것도 모르는 것이 편하리라. 닥쳐오는 일을 아는 자는 창생의 일을 생각하여 비통을 이기지 못하리라.

교법 3장 47절

상제께서 종도들에게 때때로 시를 읽어 주심으로써 그들로 하여금 깨우치게 하셨도다.
非人情不可近 非情義不可近
非義會不可近 非會運不可近
非運通不可近 非通靈不可近
非靈泰不可近 非泰統不可近

不受偏愛偏惡曰仁 不受全是全非曰義
不受專强專便曰禮 不受恣聰恣明曰智
不受濫物濫欲曰信

德懋耳鳴 過懲鼻息
潛心之下道德存焉 反掌之間兵法在焉

人生世間何滋味 曰衣 曰食 衣食然後 曰色也
故至於衣食色之道 各受天地之氣也
惑世誣民者 欺人取物者 亦受天地之氣也

事之當旺在於天地 必不在人
然無人無天地 故天地生人 用人
以人生 不參於天地用人之時 何可曰人生乎

閑談叙話可起風塵 閑談叙話能掃風塵

一身收拾重千金 頃刻安危在處心

心深黃河水 口重崑崙山

萬事分已定 浮生空自忙

道通天地無形外 思入風雲變態中

인정이 없으면 가까이 가지 말고,
인정이 있으되 의가 없으면 가까이 가지 말고,
의가 있으되 모이지 않으면 가까이 말며,
모임이 있으되 운영이 되지 않으면 가까이 말고,
운영이 되지만 서로 통하지 않으면 가까이 말라.
서로 통하되 영이 통하지 않으면 가까이 말며,

영(靈)이 통하되 크지 않으면 가까이 말고,
크게 거느려 나가지 않으면 가까이 말라
치우쳐 사랑하거나
치우쳐 미워하지 않는 것을 일러
인(仁)이라 하고,
전적으로 긍정하거나
전적으로 부정하지 않는 것을 일러
의(義)라 한다.
지나치게 강직하게 하거나
지나치게 아첨하지 않는 것을 일러
예(禮)라 한다.
너무 방자하게 귀가 밝거나
너무 방자하게
눈이 밝지 않는 것을 일러
지혜(智)라 하고,
재물을 함부로 주거나
함부로 바라지 않는 것을 일러
신(信)이라 한다.

덕은 귀에서 울리듯이 힘쓰고,
허물은 코고는 듯이
뉘우쳐 고쳐라.
마음을 가라앉히는 아래
도덕이 있게 되고,
손바닥을 뒤집는
사이에 병법이 있게 된다.

한 몸을 수습하기를 천금같이 하라.

한 순간의 편안함도,
한 순간의 위태로움도
마음가짐에 있다.

도는 천지의
형태 없는 밖을 통하고,
생각은 풍운이 변하는
중에 들어온다.

도인의 마음가짐이란
그 마음을 바르게 닦아 자신의 본래의 모습을 볼 줄 알고
그 마음을 바탕으로 갈고 닦아야 한다는 것이다.
마음의 근원은 신명이니 사람은 그 생각에 따라 움직인다.
해원이 끝난 후 모든 것이 제자리를 찾는 지금이 바로
마지막 해원이 시작되는 시점인 것이다.
마음자리는 바로 도통의 자리이며
그 자리는 후천의 도통군자의 자리인 것이다.
교법의 내용을 읽고 또 생각하여
후천에 사는 도인이나 창생이 어떤 마음을 가져야 하는지
생각하고 또 생각하여 깨달음을 얻고 실행에 옮기어
그 신명에 들어맞는 마음의 그릇을 만들어야 할 것이다.

6.천지공사

:하늘과 땅을 주제하는 인간의
근원을 낱낱이 드러내어 해원으로서
만고의 신명의 고를 풀고
한쪽으로 치우침이 없이
그들의 자리를 만들어
삼계를 정리하신 일이다.

공사 1장 1절

　시속에 말하는 개벽장은 삼계의 대권을 주재하여 비겁에 쌓인 신명과 창생을 건지는 개벽장(開闢長)을 말함이니라.
　상제께서 대원사에서의 공부를 마치신 신축(辛丑)년 겨울에 창문에 종이를 바르지 않고 부엌에 불을 지피지 않고 깨끗한 옷으로 갈아입고 음식을 전폐하고 아흐레 동안 천지공사를 시작하셨도다. 이 동안에 뜰에 벼를 말려도 새가 날아들지 못하고 사람들이 집 앞으로 통행하기를 어려워하였도다.

공사 1장 2절

상제께서 이듬해 四월에 김 형렬의 집에서 삼계를 개벽하는 공사를 행하셨도다. 이때 상제께서 그에게 가라사대 "다른 사람이 만든 것을 따라서 행할 것이 아니라 새롭게 만들어야 하느니라. 그것을 비유컨대 부모가 모은 재산이라 할지라도 자식이 얻어 쓰려면 쓸 때마다 얼굴이 쳐다보임과 같이 낡은 집에 그대로 살려면 엎어질 염려가 있으므로 불안하여 살기란 매우 괴로운 것이니라. 그러므로 우리는 개벽하여야 하나니 대개 나의 공사는 옛날에도 지금도 없으며 남의 것을 계승함도 아니요 운수에 있는 일도 아니요 오직 내가 지어 만드는 것이니라. 나는 삼계의 대권을 주재하여 선천의 도수를 뜯어고치고 후천의 무궁한 선운을 열어 낙원을 세우리라" 하시고 "너는 나를 믿고 힘을 다하라"고 분부하셨도다.

공사 1장 3절

상제께서 "선천에서는 인간 사물이 모두 상극에 지배되어 세상이 원한이 쌓이고 맺혀 삼계를 채웠으니 천지가 상도 (常道)를 잃어 갖가지의 재화가 일어나고 세상은 참혹하게 되었도다. 그러므로 내가 천지의 도수를 정리하고 신명을 조화하여 만고의 원한을 풀고 상생(相生)의 도로 후천의 선경을 세워서 세계의 민생을 건지려 하노라. 무릇 크고 작은 일을 가리지 않고 신도로부터 원을 풀어야 하느니라. 먼저 도수를 굳건히 하여 조화하면 그것이 기틀이 되어 인사가 저절로 이룩될 것이니라. 이것이 곧 삼계공사(三界公事)이니라"고 김 형렬에게 말씀하시고 그 중의 명부공사(冥府公事)의 일부를 착수하셨도다.

상도(常道) : 언제나 지켜야 할 변하지 않는 도리
삼계(三界) : 중생이 사는 천계, 지계, 인계의 세 가지 세계
명부(冥府) : 사람이 죽은 후에 그 혼령이 가서 산다고 하는 세상
착수 : 어떤 일에 손을 대어 시작함.

공사 1장 4절

　상제께서 삼계의 대권(三界・大權)을 수시수의로 행하셨느니라. 쏟아지는 큰 비를 걷히게 하시려면 종도들에게 명하여 화로에 불덩이를 두르게도 하시고 술잔을 두르게도 하시며 말씀으로도 하시고 그 밖에 풍우・상설・뇌전을 일으키는 천계대권을 행하실 때나 그 외에서도 일정한 법이 없었도다.

공사 1장 5절

　상제께서 가라사대 "명부의 착란에 따라 온 세상이 착란하였으니 명부공사가 종결되면 온 세상 일이 해결되느니라." 이 말씀을 하신 뒤부터 상제께서 날마다 종이에 글을 쓰시고는 그것을 불사르셨도다.

:명부착란이란
원래 인간 세상에는 명부가 없었음을 의미한다.
명부를 만들고 스스로 하늘이 된 신이 옥황상제이고
스스로 왕이 된 신들이 명부의 십왕들이다.
열 개의 하늘이라 칭하였다.

공사 1장 6절

　공사에 때로는 주육과 단술이 쓰이고 상제께서 여러 종도들과 함께 그것을 잡수시기도 하셨도다.

공사 1장 7절

　상제께서 김 형렬의 집에서 그의 시종을 받아 명부공사를 행하시니라. 상제께서 형렬에게 "조선명부(朝鮮冥府)를 전 명숙(全明淑)으로, 청국명부(淸國冥府)를 김 일부(金一夫)로, 일본명부(日本冥府)를 최 수운(崔水雲)으로 하여금 주장하게 하노라"고 말씀하시고 곧 "하룻밤 사이에 대세가 돌려 잡히리라"고 말씀을 잇고 글을 써서 불사르셨도다.

:전명숙 (일본왕)　김일부(청국왕) 최수운(조선의 외선조)
김형렬 종도(미국왕인 이마두의 기운을 사용하심)
모든 것은 시원으로 돌아간다.

명부의 주인이 된 그들이 있음으로
더 이상의 역신은 나오지 않을 것이다.
이 명부는 후천의 죽음을 관장 한다.

공사 1장 8절

　상제께서 임인년 가을 어느 날에 김 형렬에게 "풀을 한 곳에 쌓고 쇠꼬리 한 개를 금구군 용암리(金溝郡龍岩里)에서 구하여 오게 하고 또 술을 사오고 그 쌓아놓은 풀에 불을 지피고 거기에 쇠꼬리를 두어 번 둘러내라"고 이르시고 다시 형렬에게 "태양을 보라"고 말씀하시니라. 형렬이 햇무리가 나타났음을 아뢰니라. 그 말을 상제께서 들으시고 "이제 천하의 형세가 마치 종기를 앓음과 같으므로 내가 그 종기를 파하였노라" 하시고 형렬과 술을 드셨도다.

공사 1장 9절

　상제께서 어느 날 종도들에게 "내가 이 공사를 맡고자 함이 아니니라. 천지신명이 모여 상제가 아니면 천지를 바로잡을 수 없다 하므로 괴롭기 한량없으나 어찌할 수 없이 맡게 되었노라"고 말씀하셨도다.

천지신명 :하늘과 땅의 조화를 주재하는 온갖 신령
상제 :세상을 창조하고 이를 주재한다고 믿어지는 초자연적인 절대자

공사 1장 10절

상제께서 계묘년 정월에 날마다 백지 두서너 장에 글을 쓰거나 또는 그림(符)을 그려 손이나 무우에 먹물을 묻혀 그것들에 찍고 불사르셨도다. 그 뜻을 종도들이 여쭈어 물으니 "그것은 천지공사에 신명을 부르는 부호이노라"고 알려 주셨도다.

공사 1장 11절

상제께서 어느 날 종도들이 모여 있는 자리에서 "묵은 하늘은 사람을 죽이는 공사만 보고 있었도다. 이후에 일용 백물이 모두 핍절하여 살아 나갈 수 없게 되리니 이제 뜯어고치지 못하면 안 되느니라"하시고 사흘 동안 공사를 보셨도다. 상제께서 공사를 끝내시고 가라사대 "간신히 연명은 되어 나가게 하였으되 장정은 배를 채우지 못하여 배고프다는 소리가 구천에 달하리라"하셨도다.

묵은 하늘:오래된 하늘
구천 :하늘의 가장 높은 곳

공사 1장 12절

상제께서 김 병욱에게 "이제 국세가 날로 기울어 정부는 매사를 외국인에게 의지하게 됨에 따라 당파가 분립하여 주의 주장을 달리하고 또는 일본과 친선을 맺고 또는 노국에 접근하니 그대의 생각은 어떠하느냐"고 물으시니 그가 "인종의 차별과 동서의 구별로 인하여 일본과 친함이 옳을까 하나이다"고 상제께 대답하니 상제께서 "그대의 말이 과연 옳도다" 하시고 서양 세력을 물리치고자 신명 공사를 행하셨도다.

신명 :하늘과 땅의 신령

공사 1장 13절

이제 동양(東洋) 형세가 그 존망의 급박함이 백척간두(百尺竿頭)에 있으므로 상제께서 세력이 서양으로 넘어가지 못하도록 공사를 행하셨도다.

:동양은 인간계를 의미하며
서양은 명부를 의미한다.

백척간두(百尺竿頭):백 자나 되는 높은
장대 위에 올라섰다는 뜻으로,
더할 수 없이 어렵고 위태로운 지경을 이르는 말

공사 1장 14절

상제께서 을사년에 함열에 계실 때이니라. 형렬을 비롯한 종도들을 거느리고 익산군 만중리(益山郡萬中里) 정 춘심의 집에 가셔서 춘심에게 명하사 "선제를 지내리니 쇠머리 한 개를 사오라" 하시고 백지 한 권을 길이로 잘라 풀로 이어 붙이고 절반을 말아 두 덩이로 만들고 한 덩어리씩 각각 그릇에 담아 두셨도다. 상제께서 밤중에 앞 창문에 두 구멍을 뚫고 쇠머리를 삶아서 문 앞에 놓고 형렬과 광찬으로 하여금 문밖에 나가서 종이 덩어리를 하나씩 풀어서 창구멍으로 들여보내게 하시고 문 안에서는 종이 끝을 다시 말으시니 종이 덩어리가 다 풀리니라. 별안간 천둥과 같은 기적소리가 터지니라. 이 소리에 외인들도 놀랐도다.

:쇠머리는 신농씨를
의미한다. (여름하늘의 주인)

공사 1장 15절

  그리고 상제께서 정 성백에게 젖은 나무 한 짐을 부엌에 지피게 하고 연기를 기선 연통의 그것과 같이 일으키게 하시고 "닻줄을 풀었으니 이제 다시 닻을 거두리라"고 말씀하시자 별안간 방에 있던 종도들이 모두 현기증을 일으켜 혹자는 어지럽고 혹자는 구토하고 나머지 종도는 정신을 잃었도다. 이 공사에 참여한 종도는 소 진섭(蘇鎭燮) · 김 덕유(金德裕) · 김 광찬(金光贊) · 김 형렬(金亨烈) · 김 갑칠(金甲七) 그리고 정 성백(鄭成伯)과 그의 가족들이었도다. 덕유는 문밖에서 쓰러져 설사를 하고 성백의 가족은 모두 내실에서 쓰러지고 갑칠은 의식을 잃고 숨을 잘 쉬지 못하는지라. 이를 보시고 상제께서 친히 청수를 갑칠의 입에 넣어 주시고 그의 이름을 부르시니 바로 그는 깨어나니라. 차례차례로 종도들과 가족의 얼굴에 청수를 뿌리거나 마시게 하시니 그들이 모두 기운을 되찾으니라. 덕유는 폐병의 중기에 있었던 몸이었으나 이 일을 겪은 후부터 그 증세가 없어졌도다. 이것은 무슨 공사인지 아무도 모르나 진묵(震默)의 초혼이란 말이 있도다.

초혼 :죽은 사람의 혼을 저 세상에서
이 세상으로 불러 맞이하다.

진묵의 혼은 병을 낫게 한다.

공사 1장 16절

　병오년 정월 초사흘에 김 형렬과 김 성화의 부자와 김 보경의 부자와 김 광찬의 숙질이 동곡에서 상제를 시좌하고 상제께서 명하신 대로 하루 동안 말도 아니 하고 담배도 끊고 있을 때 상제께서 이틀 후에 여러 종도를 둘러앉히고 당부하시기를 "오늘 호소신이 올 것이니 너희는 웃지 말라. 만일 너희 중 누구 한 사람이라도 웃으면 그 신명이 공사를 보지 않고 그냥 돌아갈 것이고 그가 한번 가면 어느 때 다시 올지 모를 일이니 깊이 명심하고 주의하라." 종도들은 깊이 명심하고 조심하더니 갑자기 성백이 큰 웃음을 터뜨리니 모두 따라 웃은지라. 그날 오후에 성백은 별안간 오한을 일으켜 심히 고통하더니 사흘 동안 자리에서 일어나지 못하고 누워 있노라니 상제께서 성백을 앞에 눕히고 글 한 절을 읽으시니 그가 바로 쾌유하였도다. 상제께서 날마다 백지에 그림 같은 약도와 글자를 써서 불사르셨도다.

호소신 : 억울하고 원통한 사정을 남에게
강한 주장이나 표현으로 하소연하는 신명

자신에게 원통하고 억울한 일은
남에게는 웃음거리가 될 수 있다.
수도를 하는 사람은 항상 다른 이의
마음을 바라볼 줄 알아야 한다.
그것이 중찰 인사 이다.

공사 1장 17절

　김 광찬·신 원일·정 성백·김 선경·김 보경·김 갑칠
·김 봉규 등 여러 종도들이 二월 그믐에 동곡에 모였느니
라. 다음 달 이튿날 상제께서 공사를 보시기 위하여 서울
로 떠나시면서, "전함은 순창(淳昌)으로 회항하리니 형렬은
지방을 잘 지키라"고 이르시고 "각기 자기의 소원을 종이
에 기록하라"고 모여 있는 종도들에게 명하시니 그들이 소
원을 종이에 적어 상제께 바치니 상제께서 그 종이에 안경
을 싸시고 남기·갑칠·성백·병선·광찬을 데리고 군항
(群港)으로 가서 기선을 타기로 하시고 남은 사람은 대전
(大田)에서 기차를 타라고 이르신 후에 이것을 수륙병진이
라고 이르셨도다. 그리고 상제께서 원일에게 "너는 입경하
는 날로 먼저 종이에 천자 부해상(天子浮海上)이라고 정서
하여 남대문에 붙이라"고 명하셨도다. 원일은 곧 여러 사

람과 함께 대전으로 떠났도다.

수륙병진 :수군과 육군이 동시에 공격하여 나아감
천자 부해상(天子浮海上):하늘의 아들이 바다위에 떠있다.

안경은 진실을 보는 눈이다.
불가에서는 "마하반야바라밀"이라 주문을 외웠다.

공사 1장 18절

　　상제께서 군항으로 떠나시기 전에 병선에게 "영세 화장 건곤위 대방 일월 간태궁(永世花長乾坤位 大方日月艮兌宮)을 외우라"고 명하시니라. 군항에서 종도들에게 물으시기를 "바람을 걷고 감이 옳으냐 놓고 감이 옳으냐." 광찬이 "놓고 가시는 것이 옳은가 생각하나이다"고 대답하거늘 상제께서 다시 종도들에게 오매 다섯 개씩을 준비하게 하시고 배에 오르시니 종도들이 그 뒤를 따랐도다. 항해 중 바람이 크게 일어나니 배가 심하게 요동하는도다. 종도들이 멀미로 심하게 고통하므로 상제께서 "각자가 오매를 입에 물라"고 이르시고 갑칠로 하여금 종이에 싼 안경을 갑판 위에서 북쪽을 향하여 바다 위에 던지게 하였으되 그가 북쪽을 분간하지 못하여 망설이고 있는지라. 상제께서 다시 갑칠을 불러들여 "왜 얼른 던지지 못하느냐"고 꾸짖으시니 그는 그대로 아뢰었도다. 상제께서 "번개 치는 곳에 던지라"고 이르시니 그는 다시 갑판에 올라가니 말씀이 계신 대로 한 쪽에서 번개가 치는지라 그곳을 향하여 안경을 던

졌도다.

영세 화장 건곤위 대방 일월 간태궁
(永世花長乾坤位 大方日月艮兌宮)
:영원히 피어 지지 않는 평화의 꽃은 건곤위에서
만발하고 대지위의 태양은 간태궁을 밝힌다.

꽃은 가을국화를 의미하고 건곤은 조선을 의미한다.
일월은 일본과 미국을 의미한다.
조선의 직선조와 외선조가
만나게 되어 꽃을 피우고
일본왕과 미국왕(명부와 칠성)이
그 집을 밝혀 준다는 의미이다.
견우직녀가 만날 수 있도록 명부와 칠성이
그 길을 밝힌다는 것이다.
안경은 진실을 볼 수 있는 눈을 의미하며
번개는 뇌신인 진묵대사를 의미한다.

공사 1장 19절

　이튿날 배가 인천에 닿으니 일행은 배에서 내려 기차로
바꿔 타고 서울에 이르니 광찬이 상제를 황교(黃橋)에 사는
그의 종제 김 영선(金永善)의 집으로 안내하였는데 원일은
남대문에 글을 써 붙이고 먼저 와 있었도다.

공사 1장 20절

　상제께서 十여 일 동안 서울에 계시면서 여러 공사를 보셨도다. 영선의 이웃에 사는 오 의관(吳議官)이 三년 전부터 해숏병으로 잠을 이루지 못해 매우 신고하고 있던 터에 상제의 신성하심을 전하여 듣고 상제를 뵈옵기를 영선에게 애원하기에 영선이 그것을 상제께 전하니 상제께서 의관을 불러 글을 써주시고 "이것을 그대가 자는 방에 간수하여 두라" 이르시니 그는 황송하게 여기고 이르신 대로 행하였느니라. 그는 그날부터 잠에 들 수 있더니 얼마 후에 해소도 그쳐 기뻐하였도다.

해숏병 : 목이나 기관지의 점막이 자극을
받아 반사적으로 일어나는 세찬 호흡 병

공사 1장 21절

　갑칠은 전주를 떠날 때부터 설사하는 것을 참다가 상제께 아뢰니 상제께서 "이로부터 설사가 멎고 구미가 돋으리라"고 말씀하시고 크게 웃으시니라. 갑칠의 상제의 신성에 대한 확신이 설사를 멎게 하였느니라. 상제께서 서울에서 여러 공사를 보시던 어느 날 해숏병에서 제생(濟生)된 오 의관의 아내가 다년간의 지병인 청맹으로 앞을 잘 못 보는지라 그 여인이 또한 병을 고쳐 주시기를 애원하거늘 상제께서 그 환자의 창문 앞에 이르러 환자와 마주 향하여 서시고 양산대로 땅을 그어 돌리신 후 돌아오시더니 이로부터 눈이 곧 밝아져서 오 의관의 부부가 크게 감읍하고 지성으로 상제를 공양하였도다.

청맹 :겉으로는 멀쩡해 보이나
실제로는 앞을 보지 못하는 눈

제생(濟生) :병을 구제함

공사 1장 22절

　상제께서 어느 날 벽력표를 땅에 묻고 나서 종도들에게 "모두들 제각기 흩어져서 돌아가라. 十년 후에 다시 만나리라. 十년도 十년이요 二十년도 十년이요 三十년도 十년이니라"고 말씀하셨도다. 누가 여쭈기를 "四十년은 十년이 아니 오니까." 이에 상제께서 "四十년도 十년이나 그것을 넘지는 않으리라"고 말씀하시고 모두 돌려보내시니라. 상제께서는 오직 광찬만을 데리고 며칠 더 머무시더니 광찬에게 돈 百냥을 주시면서 "네가 먼저 만경(萬頃)에 가서 나의 통지를 기다리라" 이르셨도다.

공사 1장 23절

　四월 어느 날 형렬이 상제로부터 말씀을 들으니라. "내가 이제 화둔(火遁)을 쓰리니 너의 집에 화재가 나면 온 동리가 다 탈 것이오. 그 불기가 커져서 세계민생에게 큰 화를 끼치게 될지니라." 형렬이 말씀대로 앞날에 일어날 일에 대해서 놀라며 가족을 단속하여 종일토록 성냥과 화롯불에 마음을 쏟게 하였도다.

　화둔(火遁):불을 이용하여 자기 몸을 감추는 술법

공사 1장 24절

　상제께서 이달 그믐에 동곡으로 돌아오신 다음날 형렬을 데리시고 김 광찬이 가 있는 만경에 가셨을 때에 최 익현이 홍주(洪州)에서 의병을 일으키니 때는 모를 심는 시기이나 가뭄이 오래 계속되어 인심이 흉흉하여 사람들이 직업에 안착치 못하고 의병에 들어가는 자가 날로 증가하여 더욱 의병의 군세가 왕성하여지는지라. 상제께서 수일간 만경에 머무시면서 비를 흡족하게 내리게 하시니 비로소 인심이 돌아가 농사에 종사하는 자가 날로 늘어나더라. 이때 최 익현은 의병의 갑작스러운 약세로 순창에서 체포되니라. 그가 체포된 소식을 들으시고 상제께서는 만경에서 익산 만중리 정 춘심의 집으로 떠나시며 가라사대 "최 익현의 거사로써 천지신명이 크게 움직인 것은 오로지 그 혈성의 감동에 인함이나 그의 재질이 대사를 감당치 못할 것이고 한재까지 겹쳤으니 무고한 생민의 생명만을 잃을 것이니라. 때는 실로 흥망의 기로이라 의병을 거두고 민족의 활로를 열었느니라"고 하셨도다.

혈성 :진실한 마음에서 우러나오는 정성
감동 :깊이 느껴 마음이 움직임

공사 1장 25절

　상제께서 종도와 함께 계실 때 김 광찬에게 "네가 나를 어떠한 사람으로 아느냐"고 물으시니 그가 "촌 양반으로 아나이다"고 대답하니라. 다시 상제께서 물으시기를 "촌 양반은 너를 어떠한 사람이라 할 것이냐." 광찬이 여쭈니라. "읍내 아전이라 할 것이외다." 그의 말을 들으시고 상제께서 가라사대 "촌 양반은 읍내의 아전을 아전놈이라 하고 아전은 촌 양반을 촌 양반놈이라 하나니 나와 네가 서로 화해하면 천하가 다 해원하리라"하셨도다.

천하 :하늘 아래 온 세상

해원 :가슴속에 맺혔던 원통함을 품

사상의 화해를 의미함

공사 1장 26절

　상제께서 개고기를 상등인의 고기로서 즐기셨도다. 종도가 그 연유를 묻기에 상제께서 "이 고기는 천지 망량(魍魎)이 즐기니 선천에서는 도가가 기(忌)하였으므로 망량이 응치 아니하였나니라"고 말씀하셨도다.

망량(魍魎) :산, 물, 나무, 돌 따위의 갖가지 사물에
깃들여 있는 혼령에서 생겨난다는 여러 도깨비
(해치를 의미한다.)

기(忌):꺼려서 싫어하거나 금함

공사 1장 27절

상제께서 순창 농암(籠岩) 박 장근의 집에 가셔서 종도들
에게 가라사대 "이곳에 큰 기운이 묻혀 있으니 이제 그 기
운을 내가 풀어 쓰리라. 전 명숙과 최 익현이 있었으되 그
기운을 쓸 만한 사람이 되지 못하여 동학이 성공하지 못하
였느니라"하셨도다
.
:전명숙은 일본왕을
최익현은 러시아를 의미한다.

공사 1장 28절

하루는 상제께서 종도들에게 오주(五呪)를 수련케 하시고
그들에게 "일곱 고을 곡식이면 양식이 넉넉하겠느냐"고 물
으시니 종도들이 말하기를 "쓰기에 달렸나이다"고 아뢰니
상제께서 다시 가라사대 "그렇다 할지라도 곡간이 찼다 비
었다 하면 안 될 것이니 용지불갈(用之不渴)하여야 하리
라." 종도들이 그 말씀을 깨닫지 못하고 있음을 아시고 상
제께서 백지에 저수지와 물도랑의 도면을 그려 불사르시면

서 가르치셨도다. "이곳이 운산(雲山)이라. 운암강(雲岩江) 물은 김제 만경(金提萬頃) 들판으로 돌려도 하류에서는 원망이 없을 것이니 이 물줄기는 대한불갈(大旱不渴)이라. 능히 하늘을 겨루리라. 강 태공(姜太公)은 제(齊)나라 한 고을에 흉년을 없앴다고 하나 나는 전북(全北) 칠읍(七邑)에 흉년을 없애리라"하셨도다.

구름은 상제가 계시는
곳을 의미하며 전북 칠읍 이라함은
북쪽하늘 일곱 고을인 칠성을 의미한다.

공사 1장 29절

상제께서 어느 날 종도들에게 "중천신은 후사를 못 둔 신명이니라. 그러므로 중천신은 의탁할 곳을 두지 못하여 황천신으로부터 물과 밥을 얻어먹고 왔기에 원한을 품고 있었느니라. 이제 그 신이 나에게 하소연하므로 이로부터는 중천신에게 복을 주어 원한을 없게 하려 하노라"는 말씀을 하셨도다.

:중천신은 칠성의 신명을 의미하며
황천신은 조선의 신명을 의미한다.

공사 1장 30절

상제께서 "하도낙서 지인지감 김 형렬, 출장입상 김 광찬,

기연미연 최 내경, 평생불변 안 내성, 만사불성 김 송환(河圖洛書知人之鑑金亨烈 出將入相金光贊 旣然未然崔乃敬 平生不變安乃成 萬事不成金松煥)"이라 쓰셔서 불사르시고 날이 저물었을 때 쌀 열 말씩을 종도들에게 나누어서 덕찬과 형렬의 집에 보내셨도다.

:하도와 낙서를 아는 사람으로 귀감은 김형렬이다.
나가면 장군이요 들어오면 재상은 김광찬이다.
긴가민가 의심하는 것은 최내경이다.
평생 변하지 않는 이는 안내성이다.
모든 일을 이루지 못할 이는 김송환이다.

공사 1장 31절

　또 가라사대 "앞으로 오는 좋은 세상에서는 불을 때지 않고서도 밥을 지을 것이고 손에 흙을 묻히지 않고서도 농사를 지을 것이며 도인의 집집마다 등대 한 개씩 세워지리니 온 동리가 햇빛과 같이 밝아지리라. 전등은 그 표본에 지나지 않도다. 문고리나 옷걸이도 황금으로 만들어질 것이고 금당혜를 신으리라" 하셨도다.

공사 1장 32절

　상제께서 "이제는 해원시대니라. 남녀의 분별을 틔워 제각기 하고 싶은 대로 하도록 풀어놓았으나 이후에는 건곤의 위치를 바로잡아 예법을 다시 세우리라"고 박 공우에게 말씀하시니라. 이때 공우가 상제를 모시고 태인읍을 지나는데 두 노파가 상제의 앞을 가로질러 지나가기에 상제께서 길을 비켜 외면하셨도다.

공사 1장 33절

또 공우를 데리고 정읍으로 향하실 때 상제께서 "마음으로 천문지리를 찾아보라"하시기에 공우가 머리를 숙여서 풍운조화를 생각하니라. 상제께서 별안간 공우를 돌아보시며 "그릇되게 생각하고 있으니 다시 찾아라" 이르시니 그는 놀라서 어찌 할 바를 모르다가 그릇되게 생각한 것을 뉘우치니라. 그는 다시 천문지리를 마음으로 찾다가 정읍에 이르니라. 이날 밤에 상제께서 눈비가 내리는 것을 내다보시면서 공우에게 "너의 한 번 그릇된 생각으로써 천기가 한결같지 못하다"고 책망하셨도다.

:박공우 종도에게 전명숙의
기운을 붙여 공사를 보시었다.

공사 1장 34절

하루는 종도들이 상제의 말씀을 좇아 역대의 만고 명장을 생각하면서 쓰고 있는데 경석이 상제께 "창업군주도 명장이라 하오리까"고 여쭈니 상제께서 "그러하니라"말씀하시니라. 경석이 황제(黃帝)로부터 탕(湯)·무(武)·태공(太公)·한고조(漢高祖) 등을 차례로 열기하고 끝으로 전 명숙을 써서 상제께 올리니 상제께서 그에게 "전 명숙을 끝에 돌린 것은 어찌된 일이뇨" 물으시니 경석이 "글을 왼쪽부터 보시면 전 명숙이 수위가 되나이다"고 답하였도다. 상제께서 그 말을 시인하시고 종도들을 향하여 "전 명숙은 만고 명장이라. 백의 한사로 일어나서 능히 천하를 움직였도다"고 일러 주셨도다.

:차경석 종도에게 현무의
기운을 붙여 공사를 보시었다.

공사 1장 35절

상제께서 어느 날 경석에게 가라사대 "전에 네가 나의 말을 좇았으나 오늘은 내가 너의 말을 좇아서 공사를 처결하게 될 것인바 묻는 대로 잘 생각하여 대답하라" 이르시고 "서양 사람이 발명한 문명이기를 그대로 두어야 옳으냐 걷어야 옳으냐"고 다시 물으시니 경석이 "그대로 두어 이용함이 창생의 편의가 될까 하나이다"고 대답하니라. 그 말을 옳다고 이르시면서 "그들의 기계는 천국의 것을 본 딴 것이니라"고 말씀하시고 또 상제께서 여러 가지를 물으신 다음 공사로 결정하셨도다.

:차경석 종도(현무)의 대답으로 후천에
문명이 남아있게 됨을 예시한다.

공사 1장 36절

　상제께서 앞날을 위하여 종도들을 격려하여 이르시니라. "바둑에서 한 수만 높으면 이기나니라. 남이 모르는 공부를 깊이 많이 하여두라. 이제 비록 장량(張良)·제갈(諸葛)이 쏟아져 나올지라도 어느 틈에 끼어 있었는지 모르리라. 선천개벽 이후부터 수한(水旱)과 난리의 겁재가 번갈아 끊임없이 이 세상을 진탕하여 왔으나 아직 병겁은 크게 없었나니 앞으로는 병겁이 온 세상을 뒤덮어 누리에게 참상을 입히되 거기에서 구해낼 방책이 없으리니 모든 기이한 법과 진귀한 약품을 중히 여기지 말고 의통을 잘 알아 두라. 내가 천지공사를 맡아 봄으로부터 이 동토에서 다른 겁재는 물리쳤으나 오직 병겁만은 남았으니 몸 돌이킬 여가가 없이 홍수가 밀려오듯 하리라"고 말씀하셨도다.

수한(水旱):세상이 파멸할 때 생기는 화재, 홍수, 강한 바람 따위의 큰 재난을 이르는 말.

겁재 :생물체의 전체 또는 일부분에 육체적, 정신적 이상으로 인해 고통을 느끼게 되는 현상

병겁 :병으로 인한 재난을 의미한다.

의통은 의술에 통한다는 이야기이다.
병의 원인은 겁액에 있으니 그 겁액의
근원을 알아야 병을 치유할수 있는 것이다.
사람에게는 생기가 있고 사기가 있다.
천지에도 마찬가지이다.
사람에게는 그 신명이 응하여 도통을 이른다.
생에 통한 신명이 조선을 세운 것이고
사에 통한 신명이 일본왕이 된 것이다.

그 겁액의 근본은 마음에서 일어나는 것이니
그 마음을 먼저 수행하여야 할 것이다.
상제께서는 생의 신인 조선이
나아갈 길을 열어 주심이다.

해원공사로 모든 마를 해원 시키신 후에
건곤의 자리를 바로 세우시게 되시는 것이다.
그 시간이 120년이 걸리는 것이다.
생의 신에게 통하는 것이 의통이고 도통인 것이다.

사신을 해원 후 교화시키어 후천의 일꾼으로 만드심이다.
하늘의 심판이 아닌 교화와 조화로서
새 시대를 여는 공사를 보심이다.

아직 진주는
세상에 나오지 않았다.
그러므로 지금 진주이며 천자라
주장하는 이들은 모두 거짓이다.
해원하고 있는 것이다.
도통을 알고 의통을 알고
싶거든 먼저 자신의 마음을
먼저 돌아보라.

공사 2장 1절

  상제께서 정미년 三월 초에 광찬을 대동하고 말점도(末店島)에 들어가시려고 (광찬의 재종이 말점도에서 어업을 경영하고 있었음) 갑칠과 형렬을 만경 남포(南浦)에 불러 두 사람에게 이르시기를 "내가 지금 섬으로 들어가는 것은 천지공사로 인하여 정배됨이니 너희들은 성백(成伯)의 집에 가서 그와 함께 四十九일 동안 하루에 짚신 한 켤레와 종이등 한 개씩을 만들라. 그 신을 천하 사람에게 신게 하고 그 등으로 천하 사람의 어둠을 밝히리라" 하셨도다. 두 사람은 명을 받들어 성백의 집에 가서 그대로 시행하였도다. 그 후 상제께서 말점도로부터 나오셔서 그 짚신을 원평 시장에 가서 팔게 하시고 그 종이등에는 각기 "음양(陰陽)" 두 글자를 쓰셔서 불사르시니라.

말점도(末店島):시골 길가에서 밥과 술 따위를 팔고
나그네에게 잠자리도 제공하는 마지막 집을
의미하는 섬(제주도)

음양은 천지를 의미하며
직선조와 외선조를 의미한다.

공사 2장 2절

  또 백지로 고깔을 만들어 마장군(馬將軍)이라 써서 문 위에 걸고 짚을 한 아름쯤 되게 묶어 인경을 만들어 방 가운데에 달아매고 백지를 바른 다음에 二十四방위 자를 둘러 쓰고 그 글자 사이에 다른 글자를 써 넣고 또 그 위에 백지를 오려서 비늘을 달아 붙이시니 그 모형이 마치 철갑옷과 같아지니라. 그 자리에 형렬·공신·광찬·장근·응종·원일·도삼·갑칠·그 외 몇 사람이 있었도다.

마장군(馬將軍) :
군을 지휘하고 통솔하는 말띠의 우두머리
(우순 임금을 의미한다.)

24절후 신명의 호위를 받는
말띠의 진주를 의미한다.

공사 2장 3절

또 상제께서 장근으로 하여금 식혜 한 동이를 빚게 하고 이날 밤 초경에 식혜를 큰 그릇에 담아서 인경 밑에 놓으신 후에 "바둑의 시조 단주(丹朱)의 해원도수를 회문산(回文山) 오선위기혈(五仙圍碁穴)에 붙여 조선 국운을 돌리려 함이라. 다섯 신선 중 한 신선은 주인으로 수수방관할 뿐이오. 네 신선은 판을 놓고 서로 패를 지어 따먹으려 하므로 날짜가 늦어서 승부가 결정되지 못하여 지금 최 수운을 청하여서 증인으로 세우고 승부를 결정코자 함이니 이 식혜는 수운을 대접하는 것이라" 말씀하시고 "너희들이 가진 문집(文集)에 있는 글귀를 아느냐"고 물으시니 몇 사람이 "기억하는 구절이 있나이다"고 대답하니라. 상제께서 백지에 "걸군굿 초란이패 남사당 여사당 삼대치"라 쓰고 "이 글이 곧 주문이라. 외울 때에 웃는 자가 있으면 죽으리니 조심하라" 이르시고 "이 글에 곡조가 있나니 만일 외울 때에 곡조에 맞지 않으면 신선들이 웃으리라" 하시고 상제께서 친히 곡조를 붙여서 읽으시고 종도들로 하여금 따라 읽게 하시니 이윽고 찬 기운이 도는지라. 상제께서 읽는 것을 멈추고 "최 수운이 왔으니 조용히 들어보라" 말씀하시더니 갑자기 인경 위에서 "가장(家長)이 엄숙하면 그런 빛이 왜 있으리"라고 외치는 소리가 들리니 "이 말이 어디에 있느뇨"고 물으시니라. 한 종도가 대답하기를 "수운가사(水雲歌詞)에 있나이다." 상제께서 인경 위를 향하여 두어 마디로 알아듣지 못하게 수작하셨도다.

:외선조와 미래에 있던 그때의 일에
대해 말씀을 나누시다.

공사 2장 4절

상제께서 어느 날 가라사대 "조선을 서양으로 넘기면 인종의 차별로 학대가 심하여 살아날 수가 없고 청국으로 넘겨도 그 민족이 우둔하여 뒷감당을 못할 것이라. 일본은 임진란 이후 도술신명 사이에 척이 맺혀 있으니 그들에게 맡겨 주어야 척이 풀릴지라. 그러므로 그들에게 일시 천하통일지기(一時天下統一之氣)와 일월 대명지기(日月大明之氣)를 붙여 주어서 역사케 하고자 하나 한 가지 못 줄 것이 있으니 곧 인(仁)이니라. 만일 인 자까지 붙여주면 천하가 다 저희들에게 돌아갈 것이므로 인 자를 너희들에게 붙여 주노니 잘 지킬지어다"고 이르시고 "너희들은 편한 사람이 될 것이오. 저희들은 일만 할 뿐이니 모든 일을 밝게 하여 주라. 그들은 일을 마치고 갈 때에 품삯도 받지 못하고 빈손으로 돌아가리니 말대접이나 후덕하게 하라" 하셨도다.

천하 통일지기(一時天下統一之氣)
:나누어진 것과 서로 다른 것을
하나로 만들거나 같아지게 하는 기운

일월 대명지기(日月大明之氣) :
아주 환하게 밝혀주는 기운

명부의 왕이 잠시 道의 주인이 된다.

공사 2장 5절

　상제께서 대신명(大神明)이 들어설 때마다 손을 머리 위에 올려 예를 갖추셨도다.

공사 2장 6절

　상제께서 "청주(淸州) 만동묘(萬東廟)에 가서 청국 공사를 행하려 하나 길이 멀고 왕래하기 어렵고 불편하므로 청도원(清道院)에서 공사를 행하리라" 하시고 청도원 류 찬명의 집에 이르러 천지 대신문을 열고 공사를 행하셨도다. 그때에 김 송환이 그 시종을 들었느니라.

청주(清州) :맑은 고을

만동묘(萬東廟) :
임진왜란 때 우리나라를 도와준
중국 명나라의 의종과 신종에게
제사를 지내기 위하여 세운 사당
(신종과 의종은 석가부처님과 관운장을 의미한다.
명천 하늘을 의미한다.)

천지 대신문 :천지에 있는 힘이 세고 무서운 귀신을 여는 문

공사 2장 7절

상제께서 정미년 四월 어느 날 돈 千냥을 백 남신으로부터 가져오셔서 동곡에 약방을 차리시는데 이때 약장과 모든 기구를 비치하시기 위하여 목수 이 경문(李京文)을 불러 그 크기의 치수와 만드는 법을 일일이 가르치고 기한을 정하여 끝마치게 하시니 약방은 갑칠의 형 준상의 집에 설치하기로 하셨도다.

공사 2장 8절

목수가 기한 내에 공사를 마치지 못하였기에 상제께서 목수로 하여금 목재를 한 곳에 모아 놓게 하고 앞에 꿇어앉힌 후 크게 꾸짖고 봉서 하나를 목수에게 주고 꿇어앉은 그대로 불사르게 하시니 갑자기 번개가 번쩍이는지라. 목수가 두려워서 땀을 흘리는 것을 보고 "속히 마치라" 독려하시니라. 그 목수가 수전증이 나서 한 달이 넘은 후에 겨우 일을 끝내니라. 약방을 차린 후 상제께서 공우에게 "천지의 약기운은 평양에 내렸으니 네가 평양에 가서 당제약을 구하여 오라"고 명하셨도다. 그 후에 다시 그에 대한 말씀이 없으시고 그날 밤에 글을 써서 불사르셨도다.

:번개는 뇌신을 의미하고 뇌신은 진묵을 의미한다.

박공우 종도에게 일을 시키심은
명부에 약(약사여래)이 있음을 의미한다.

공사 2장 9절

약방을 설치하신 후 "원형이정 봉천지 도술약국 재전주동곡 생사판단(元亨利貞奉天地道術藥局 在全州銅谷生死判斷)"이란 글귀를 쓰셔서 불사르셨도다. 약장은 종삼 횡오 도합 十五간으로 하고 가운데에 큰 간이 둘 아래로 큰 간이 하나이니라. 상제께서는 그 위 十五간 중의 가운데 간에 "단주수명(丹朱受命)"이라 쓰고 그 속에 목단피를 넣고 그 아래에 "열풍 뇌우 불미(烈風雷雨不迷)"라고 횡서하고 또 칠성경을 백지에 종서하고 그 끝에 "우보 상최 등양명

(禹步相催登陽明)"이라 횡서하고 약장 위로부터 뒤로 밑판 까지 따라서 내려붙이고 그 위에 "양정 유월 이십일 음정 유월 이십일(陽丁六月卄日陰丁六月卄日)"이라 쓰시니라. 궤 안에 "팔문둔갑(八門遁甲)"이라 쓰고 그 글자 위에 "설문(舌門)" 두 자를 낙인하신 후 그 글자 주위에는 二十四 점을 홍색으로 찍고 약방에 통감(通鑑)·서전(書傳) 각 한 질씩 비치하였도다.

원형이정 봉천지 도술약국 재전주동곡 생사판단
(元亨利貞奉天地道術藥局 在全州銅谷生死判斷)
:원형이정의 도를 바탕으로
천지를 받드는 도술약국이라
전주 동곡에서 천하 사람의
생사 판단을 하느니라.

단주수명(丹朱受命) :
단주가 하늘의
명령을 받았다는 뜻으로,
제왕의 자리에 오름을 이르는 말

열풍 뇌우 불미(烈風雷雨不迷)
:몹시 거세게 바람이 불고 천둥소리와 함께
비가 내려도 길을 잃어 헤매지 않는다는 뜻
(어떠한 상황에도 미혹에 빠지지 않음을 의미함
우순임금을 의미한다.)

우보 상최 등양명(禹步相催登陽明)

:우보의 걸음걸이로 서로 재촉하여
양명(陽明)에 올라 가니라

팔문둔갑(八門遁甲)
:음양객이 귀신을 부리는 술법

설문(舌門) :언어로 된 문

통감(通鑑) :중국 송나라 때에 소미 선생
강지가 《자치통감》을 요약한 책

서전(書傳) :《서경》에 주해를 달아 편찬한 책

공사 2장 10절

　상제께서 병욱에게 명하시어 전주에 가서 三百냥으로 약
재를 사오게 하셨는데 마침 비가 내리는 것을 보고 이 비
는 곧 약탕수(藥湯水)라고 이르셨도다.

약탕수(藥湯水):병을 치료하는 데 쓰려고 약재를
넣어 끓인 물을 담은 욕탕

공사 2장 11절

상제께서는 약방에 갖추어 둔 모든 물목을 기록하여 공우와 광찬에게 주고 가라사대 "이 물목기를 금산사에 가지고 가서 그곳에 봉안한 석가불상을 향하여 그 불상을 업어다 마당 서쪽에 옮겨 세우리라고 마음속으로 생각하면서 불사르라"하시니 두 사람이 금산사에 가서 명하신 대로 행하니라. 이로부터 몇 해 지난 후에 금산사를 중수할 때 석가불전을 마당 서쪽에 옮겨 세우니 미륵전 앞이 넓어지느니라. 이 불전이 오늘날의 대장전이로다.

공사 2장 12절

　　상제께서 용두치 주막에 계실 때 광찬에게 한방의서(漢方醫書) 방약합편(方藥合編)을 사오게 하시고 "네가 병욱의 집에 가서 주묵(朱墨)으로 이 책 중에 있는 약명에 비점을 찍으라" 이르시니 광찬이 명대로 시행하여 올리니 상제께서 열람하시고 그 책을 불사르셨도다.

한방의서(漢方醫書):한의학 및 한약에 관한 책
방약합편(方藥合編) :조선 시대. 황도연이 한약의 처방을 설명한 의서

주묵(朱墨) :붉은 빛깔의 먹

공사 2장 13절

　　상제께서 농암에서 공사를 행하실 때 형렬에게 이르시기

를 "허 미수(許眉叟)가 중수한 성천(成川) 강선루(降仙樓)의 일만이천 고물은 녹줄이 붙어 있고 금강산(金剛山) 일만이천 봉은 겁기가 붙어 있으니 이제 그 겁기를 제거하리라" 하시고 "네가 김 광찬·신 원일과 함께 백지 일 방촌씩 오려서 시(侍) 자를 써서 네 벽에 붙이되 한 사람이 하루 四百자씩 열흘에 쓰라. 그리고 그 동안 조석으로 청수 한 동이씩 길어 스물네 그릇으로 나누어 놓고 밤에 칠성경(七星經) 三七편을 염송하라" 명하시니라. 형렬은 그 명을 좇았으되 신 원일이 즐거이 행하지 아니하므로 상제께 아뢰니 상제께서는 "정읍 이 도삼을 불러서 행하라" 분부하시니라. 형렬은 그를 데려다가 열흘 동안 분부대로 행한 후에 김 갑칠을 보내어 일을 마쳤음을 상제께 아뢰게 하였더니 상제께서 갑칠에게 양(羊) 한 마리를 사주며 "내가 돌아가기를 기다리라"고 이르셨도다.

공사 2장 14절

상제께서 十一월에 사기를 옮기는 공사를 보시고자 동곡에 돌아오셔서 전일에 주었던 양을 잡게 하고 그 양 피를 손가락 끝에 묻혀 일만 이천 시(侍)란 글자에 바르시니 양 피가 다한지라. 상제께서 "사기(沙器)를 김제(金堤)로 옮겨야 하리라" 하시니라. 이때 김제 수각(水閣) 임 상옥(林相玉)이 왔기에 상제께서 청수를 담던 사기그릇을 개장국에 씻어 그에게 주시니라. 그는 영문을 모르고 주시는 대로 그 그릇을 받았도다. 그는 며칠 후에 그 사기그릇의 용처를 여쭈었더니 "인부를 많이 모아 일할 때 쓰라" 하셨도다.

사기(沙器) :봉황의 그릇(道를 의미함)

일만 이천 시(侍) :일만 이천이 道(진주)를 모신다.

개장국 :개고기를 고아 끓인 국(개정을 의미함)

공사 2장 15절

　상제께서 十一월에 동곡에 머무시면서 금강산 공사를 보시고 형렬에게 "내가 삭발하리니 너도 나를 따라 삭발하라"고 분부하시니 형렬이 속으로 달갑게 생각하지 아니하였으나 부득이 응낙하니라. 또 갑칠을 불러 "내가 삭발하리니 내일 대원사에 가서 중 금곡을 불러오라" 하시므로 형렬은 크게 근심하였으되 이튿날 다시 그것에 대한 말씀이 없었도다.

공사 2장 16절

　상제께서 어느 날 후천에서의 음양 도수를 조정하시려고 종도들에게 오주를 수련케 하셨도다. 종도들이 수련을 끝내고 각각 자리를 정하니 상제께서 종이쪽지를 나누어 주시면서 "후천 음양 도수를 보려 하노라. 각자 다른 사람이 알지 못하도록 점을 찍어 표시하라"고 이르시니 종도들이 마음에 있는 대로 점을 찍어 올리니라. "응종은 두 점, 경수는 세 점, 내성은 여덟 점, 경석은 열두 점, 공신은 한 점을 찍었는데 아홉 점이 없으니 자고로 일남 구녀란 말은 알 수 없도다"고 말씀하시고 내성에게 "팔선녀란 말이 있어서 여덟 점을 쳤느냐"고 물으시고 응종과 경수에게 "노인들이 두 아내를 원하나 어찌 감당하리오"라고 말씀하시니 그들이 "후천에서는 새로운 기력이 나지 아니하리까"고 되물으니 "그럴듯하도다"고 말씀하시니라. 그리고 상제께서 경석에게 "너는 무슨 아내를 열둘씩이나 원하느뇨"고 물으시니 그는 "열두 제국에 하나씩 아내를 두어야 만족하겠나이다"고 대답하니 이 말을 들으시고 상제께서 다시 "그럴듯하도다"고 말씀을 건네시고 공신을 돌아보시며 "경석은 열둘씩이나 원하는데 너는 어찌 하나만 생각하느냐"고 물으시니 그는 "건곤(乾坤)이 있을 따름이요 이곤(二坤)이 있을 수 없사오니 일음 일양이 원리인 줄 아나이다"고 아뢰니 상제께서 "너의 말이 옳도다"고 하시고 "공사를 잘 보았으니 손님 대접을 잘 하라"고 분부하셨도다. 공신이 말씀대로 봉행하였느니라. 상제께서 이 음양 도수를 끝내시고 공신에게 "너는 정음 정양의 도수니 그 기운을 잘 견디어 받고 정심으로 수련하라"고 분부하시고 "문왕(文王)의 도수와 이윤(伊尹)의 도수가 있으니 그 도수를 맡으려면 극히 어려우니라"고 일러 주셨도다.

건곤(乾坤) : 하늘과 땅을 아울러 이르는 말

공사 2장 17절

　종도들의 음양 도수를 끝내신 상제께서 이번에는 후천 五
만 년 첫 공사를 행하시려고 어느 날 박 공우에게 "깊이
생각하여 중대한 것을 들어 말하라" 하시니라. 공우가 지
식이 없다고 사양하다가 문득 생각이 떠올라 아뢰기를 "선
천에는 청춘과부가 수절한다 하여 공방에서 쓸쓸히 늙어
일생을 헛되게 보내는 것이 불가하오니 후천에서는 이 폐
단을 고쳐 젊은 과부는 젊은 홀아비를, 늙은 과부는 늙은
홀아비를 각각 가려서 친족과 친구들을 청하고 공식으로
예를 갖추어 개가케 하는 것이 옳을 줄로 아나이다"고 여
쭈니 상제께서 "네가 아니면 이 공사를 처결하지 못할 것
이므로 너에게 맡겼더니 잘 처결하였노라"고 이르시고 "이
결정의 공사가 五만 년을 가리라"고 말씀하셨도다.

:박공우 종도에게
대세지보살의 기운을 붙여 공사를 보심
(지장보살이 깨달음을 얻어 대세지보살로 화현한다,
지혜의 광명으로 중생을 제도하는 보살이다.)

공사 2장 18절

　十二월 초하룻날 고부인은 상제의 분부대로 대흥리에서
백미 한 섬을 방에 두고 백지로 만든 고깔 二十여 개를 쌀
위에 놓고 종이에 글을 써서 불사르니라. 이때 상제께서

"불과 물만 가지면 비록 석산바위 위에 있을지라도 먹고 사느니라"고 말씀하시고 그 백미로 밥을 지어 이날 모인 사람들을 배불리 먹이셨도다.

공사 2장 19절

　상제께서 十二월에 들어서 여러 공사를 마치시고 역도(逆度)를 조정하는 공사에 착수하셨도다. 경석·광찬·내성은 대흥리로 가고 원일은 신 경원의 집으로 형렬과 자현은 동곡으로 떠났도다. 상제께서 남아 있는 문 공신·황 응종·신 경수 들에게 가라사대 "경석은 성(誠) 경(敬) 신(信)이 지극하여 달리 써 볼까 하였더니 스스로 청하는 일이니 할 수 없도다"고 일러 주시고 또 "본래 동학이 보국안민(輔國安民)을 주장하였음은 후천 일을 부르짖었음에 지나지 않았으나 마음은 각기 왕후장상(王侯將相)을 바라다가 소원을 이룩하지 못하고 끌려가서 죽은 자가 수만 명이라. 원한이 창천하였으니 그 신명들을 그대로 두면 후천에는 역도(逆度)에 걸려 정사가 어지러워지겠으므로 그 신명들의 해원 두목을 정하려는 중인데 경석이 十二제국을 말하니 이는 자청함이니라. 그 부친이 동학의 중진으로 잡혀 죽었고 저도 또한 동학 총대를 하였으므로 이제부터 동학 신명들을 모두 경석에게 붙여 보냈으니 이 자리로부터 왕후장상(王侯將相)의 해원이 되리라" 하시고 종이에 글을 쓰시며 외인의 출입을 금하고 "훗날에 보라. 금전소비가 많아질 것이며 사람도 갑오년보다 많아지리라. 풀어 두어야 후천에 아무 거리낌이 없느니라"고 말씀을 맺으셨도다.

역도(逆度):현재의 통치자나 통치 세력으로부터
통치권을 빼앗으려 꾀함이 거듭됨

성(誠) 경(敬) 신(信) :신앙과 수도에서 가장 중요한 마음가짐으
로, 정성과 공경과 믿음의 세 가지를 이르는 말

보국안민(輔國安民):나라님을 도와 국정을 보살피고
백성을 편안하게 함

왕후장상(王侯將相) :왕과 제후, 장수와 재상을 아울러 이르는 말

공사 2장 20절

   상제께서 "선천에서 삼상(三相)의 탓으로 음양이 고르지
못하다"고 하시면서 "거주성명 서신사명 좌상 우상 팔판
십이백 현감 현령 황극 후비소(居住姓名西神司命 左相右相
八判十二伯 縣監縣令皇極後妃所)"라 써서 광찬에게 "약방
의 문지방에 맞추어 보라"고 이르시니라. 그가 "맞지 않는
다"고 아뢰니 "일이 헛일이라"고 말씀하시기에 경학이 "여
백을 오려 버리고 글자 쓴 곳만 대어보는 것이 옳겠나이
다"고 말하기에 그대로 행하니 꼭 맞으니라.

삼상(三相) :영의정, 좌의정, 우의정을 아울러 이르는 말

거주성명 서신사명(居住姓名西神司命)

:일정한 곳에 자리를 잡고 각 성씨의 이름을
부르며 서신이 천명을 받든다.

좌상 우상 팔판 십이백 현감 현령 황극 후비소
(左相右相八判十二伯 縣監縣令皇極後妃所)
:좌상 우상 팔판 십이백 현감 현령의 자리를
만들며 황제가 나라를 다스리는 표준이 될 만한,
한쪽으로 치우치지 않는 바른 법과 황후의 자리를 만든다.

여기서 서신이란 명부와 칠성을 의미한다.
상제님의 천명을 받아 도통자리를 만들며
후천의 법을 만들고 황후의 자리를 만드는 것을 의미한다,
마음의 여백을 자르고 일심이 되어야 그 자리에
앉을 수 있다.

공사 2장 21절

　한번은 상제께서 임 상옥에게 사기그릇을 주신 뒤에 공우
를 대동하고 전주로 가시는 도중에 세천에 이르시니 점심
때가 되니라. 공우가 상제를 고 송암(高松菴)의 친구 집에
모시고 상제께 점심상을 받게 하였도다. 상제께서 문득
"서양 기운을 몰아내어도 다시 몰려드는 기미가 있음을 이
상히 여겼더니 뒷골방에서 딴전 보는 자가 있는 것을 미처
몰랐노라" 하시고 "고 송암에게 물어보고 오너라"고 공우
에게 이르시고 칠성경에 문곡(文曲)의 위치를 바꾸어 놓으
셨도다.

:문곡성은 태백금성을 의미하며
불가에서는 보현보살을 의미한다.
나라는 영국을 상징하며
별자리는 금성이며
후신으로는 조운장군
강감찬 최영장군 이였으며
칠성여래의 아들이다.
파군성(박공우종도)에게 이르셔서
서양의 기운을 돌리심이라.

공사 2장 22절

　　상제께서 최 익현과 박 영효(朴泳孝)의 원을 풀어 주신다
고 하시면서"천세 천세 천천세 만세 만세 만만세 일월 최
익현 천포 천포 천천포 만포 만포 만만포 창생 박 영효(千
歲千歲千千歲 萬歲萬歲萬萬歲 日月崔益鉉 千胞千胞千千胞
萬胞萬胞萬萬胞 蒼生朴泳孝)"라 쓰시고 불사르셨도다.

:천년 또 천년에 천 천년이 가고
만년에 만년 만 만년이 가도
해와 달과 같은 최 익현

천 번 태어나고 또 천 번 태어나고
천 번에 천 번을 태어나도
만 번 태어나고 또 만 번 태어나고
만 번에 만 번을 태어나도

창생들의 마음을 가진 박 영효

:최 익현은 기득권인 양반을 의미하며
박 영효는 묵묵히 자신에 삶에
만족하여 사는 백성을 의미 한다.

중천은 하계의 그 색에 맞는 이와
신령이 통하며 주의나 사상 철학 등
인간의 생각을 통제한다.

공사 2장 23절

　상제께서 만국 창생들의 새 생활법으로서 물화상통을 펼
치셨도다. 종도들이 상제의 명을 좇아 공신의 집에서 밤중
에 서로 번갈아 그 집의 물독 물을 반 바가지씩 퍼내 우물
에 쏟아 붓고 다시 우물물을 반 바가지씩 독에 붓고 또 다
른 사람으로 하여금 다른 여러 우물과 독의 물을 번갈아
바꾸어 갈아 부었도다.

물화상통 :물화가 서로 통함

공사 2장 24절

　신 원일이 개벽공사를 빨리 행하시기를 상제께 간청하니
라. 상제께서 "인사는 기회가 있으며 천시는 때가 있으니
그 기회와 때를 기다릴 것이니 이제 인사와 천시를 억지로

쓰면 그것은 천하에 재화를 끼치게 될 뿐이며 억조의 생명을 억지로 앗아가는 일이 되리라. 어찌 차마 행할 바이냐"고 말씀하셨으되 원일이 "방금 천하가 무도하여 선악을 분별하기 어려우니 속히 이를 잔멸하고 후천의 새 운수를 열어 주시는 것이 옳을까 하나이다"고 말하면서 간청하니 상제께서 심히 괴로워하셨도다.

인사 :사람의 일. 또는 사람으로서 해야 할 일
기회 :어떠한 일이나 행동을 하기에 가장 좋은 때나 경우
천시 :하늘이 주는 좋은 기회
재화 :재앙(災殃)과 화난(禍難)을 아울러 이르는 말

공사 2장 25절

공신의 집에서 또 어느 날 상제께서 종도들에게 "이 뒤에 전쟁이 있겠느냐 없겠느냐"고 물으시니 혹자는 있으리라고도 하고 혹자는 없으리라고도 아뢰니라. 상제께서 가라사대 "천지 개벽시대에 어찌 전쟁이 없으리오"라고 하시고 전쟁 기구를 챙겨 보신다면서 방에 있는 담뱃대 二十여 개를 거두어 모아 거꾸로 세우고 종도들로 하여금 각기 수건으로 다리와 머리를 동여매게 하시고 또 백지에 시천주를 써서 심을 비벼 불을 붙여 들게 하고 문창에 구멍을 뚫어 놓은 다음에 모두 담뱃대를 거꾸로 메게 하고 "행오를 잃으면 군사가 상하리라" 이르고 종도들로 하여금 뒷문으로

나가서 부엌으로 돌아와서 창 구멍에 담뱃대를 대고 입으
로 총소리를 내게 하고 다시 변소로 돌아와서 창 구멍에
담뱃대를 대고 다시 총소리를 내게 하고 또 헛청으로 돌아
들어 그와 같이 하되 궁을(弓乙)형을 지어 빨리 달리게 하
시니 늙은 사람이 씨근덕 거리더라. 다시 상제께서 이르시
기를 "이 말세를 당하여 어찌 전쟁이 없으리오. 뒷날 대전
쟁이 일어나면 각기 재조를 자랑하리니 재조가 월등한 나
라가 상등국이 되리라." 이 공사가 끝나자 천고성이 사방
에서 일어났도다.

: 행오 (예전에, 군사들로 편성된 대열을 이르던 말)

재조 :총명한 기운이 넘쳐 무엇을
잘하는 타고난 소질이나 재능

공사 2장 26절

  그리고 그림을 그려 문 공신의 집 벽에 붙이고 이를 정의
도(情誼圖)라고 이름하셨도다.

정의도(情誼圖) :서로 사귀어 친해진 정을 표현한 그림

공사 2장 27절

  무신년 七월에 이르러 상제께서 원일을 이끄시고 부안 변

산 우금암(遇金岩) 아래에 있는 개암사(開岩寺)에 가시니라. 그때 상제께서 원일에게 삶은 쇠머리 한 개와 술 한 병과 청수 한 그릇을 방안에 차리고 쇠머리를 청수 앞에 진설하게 하신 후에 원일을 그 앞에 꿇어 앉히고 성냥 세 개비를 그 청수에 넣으시니라. 이때 갑자기 풍우가 크게 일어나고 홍수가 창일하는도다. 상제께서 원일에게 "이제 청수 한 동이에 성냥 한 갑을 넣으면 천지가 수국(水國)이 될지니라. 개벽이란 이렇게 쉬우니 그리 알지어다. 만일 이 것을 때가 이르기 전에 쓰면 재해만 끼칠 뿐이니 그렇게 믿고 기다려라"고 일러 주시고 진설케 하신 것을 모두 거두니 곧 풍우가 그쳤도다.

공사 2장 28절

상제께서 원일을 곧 자기 집으로 돌려보내셨도다. 원일이 집에 돌아와서 보니 자기 동생의 집이 폭우에 파괴되고 그 가족은 원일의 집에 피난하였도다. 원래 원일의 아우는 상제를 믿지 아니하였으며 언제나 불평을 품었도다. 그러나 그는 이 일을 당한 후부터 두려워서 무리한 언사를 함부로 쓰지 아니하였도다.

공사 2장에서는
말점도인 제주도에서
말띠진주가 나옴을 의미하고
신선들의 바둑이 끝난 후에
道가 나아가는 공사를 보심이다.

道는 조선을 의미하며 조선은
후천으로 가는 배를 의미한다,

道를 일본에게 잠시 맡기시고
천지 대신문을 여심이다.
약방을 수리하시고
단주에게 천명을 내리시어 해원케 하시고
우순임금의 자리를 만들어 주심이다.

일만 이천의 하나님의 도장이 찍힌
후천의 도통군자들이 道를
모신다는 의미이다.

음양도수를 보시어 고부인인
외 선조에게 황후의
자리를 만들어주심이다.

역도란 역심을 품은 신명을 말함이고
그 기운을 모두 해원시킴이다.

임금을 보좌하는 재상들의 마음을
일심으로 꽉 차게 만드시어
제 자리를 찾게 만드심이다.

서양이 道를 훼손하지 못하게
서양의 주신인 문곡성의 위치를 바꾸심이다.

동양의 기운과 서양의 기운을 해원시키시고
동 서의 물화가 상통하게 만드심이다.

그 후에 모든 자리가 마련되었을
때 개벽이 일어나게 하심이다.

공사 3장 1절

상제께서 무신년 봄 백암리 김 경학·최 창조의 두 집으로 왕래하시며 성복제와 매화(埋火) 공사를 보셨도다. 김 광찬의 양모의 성복제가 최 창조의 집에서 거행되었느니라. 창조는 상제의 지시에 좇아 돼지 한 마리를 잡고 그 고기에 계란을 입혀 전을 만들고 대그릇에 담아서 정결한 곳에 두고 또 상제의 분부에 따라 상제의 의복 한 벌을 지어 두었도다. 저육전이 다 썩었으므로 창조가 동곡으로 사람을 보내서 상제께 아뢰니 상제께서 그 사람을 좀 기다리게 하시고 형렬에게 이르시니라. "네가 태인에 가서 최 내경·신 경원을 데리고 창조의 집에 가라. 오늘 밤에 인적이 없을 때를 기다려 정문밖에 한 사람이 엎드릴 만한 구덩이를 파고 나의 옷을 세 사람이 한 가지씩 입고 그 구덩이 앞에 청수 한 그릇과 화로를 놓고 작은 사기그릇에 호주를 넣고 문어 전복 두부를 각각 그릇에 담아 그 앞에 놓아라. 그리고 한 사람은 저육전 한 점씩을 집어서 청수와 화로 위로 넘기고 한 사람은 연달아 넘긴 것을 받고 다른 한 사람은 다시 받아서 구덩이 속에 넣고 흙으로 덮어라. 그리고 빨리 돌아오너라"고 일러주시니 형렬이 그대로 시행한 후 시급히 상제께 돌아가는 길에 돌연히 검은 구름이 일더니 집에 이르자 폭우가 쏟아지고 뇌전이 크게 치는지라. 상제께서 형렬에게 "이때쯤 일을 행할 때가 되었겠느냐"고 물으시니 그는 "행할 그 시간이 되었겠나이다"고 여쭈었도다. 상제께서 가라사대 "뒷날 변산 같은 큰 불덩이

로 이 세계가 타 버릴까 하여 그 불을 묻었노라"하셨도
다.

　매화(埋火) :불을 묻는 공사

공사 3장 2절

　상제께서 사명기(司命旗)를 세워 전 명숙과 최 수운의 원
을 풀어주셨도다. 상제께서 피노리(避老里) 이 화춘(李化
春)의 집에 이르셔서 그에게 누런 개 한 마리를 잡고 술
한 동이를 마련하게 하고 뒷산의 소나무 숲에서 가장 큰
소나무 한 그루와 남쪽 양달에 있는 황토를 파오게 하고
백지 넉 장을 청 홍 황의 세 색깔로 물들여서 모두 잇고
베어 온 소나무의 한 윗가지에 달게 하고 백지 석장에 각
각 시천주를 쓰고 그 종이 석 장에 황토를 조금씩 싸서 함
께 잇고 또 소나무 가지에 달고 그 나무를 집 앞에 세우시
니 마치 깃대와 같은지라. 상제께서 종도들에게 가라사대
"이곳에서 전 명숙이 잡혔도다. 그는 사명기(司命旗)가 없
어서 포한(抱恨)하였나니 이제 그 기를 세워주고 해원케 하
노라." 다시 상제께서 사명기 한 폭을 지어 높은 소나무
가지에 달았다가 떼어 불사르시고 최 수운을 해원케 하셨
도다.

　사명기(司命旗) :각 군영의 대장, 유수, 순찰사,

통제사가 휘하의 군대를 통솔하던 지휘기

원 : 마음속에 원한을 품음

소나무는 칠성여래를 의미한다.

전명숙에게 후천의 군사를
이끄는 사명을 내려주심이다.

공사 3장 3절

상제께서 어느 날 공우에게 "고부에 가서 돈을 주선하여
오라" 하시더니 마련된 돈으로써 약방의 수리를 끝마치시
고 갑칠로 하여금 활 한 개와 화살 아홉 개를 만들게 하시
고 그것으로써 공우로 하여금 지천(紙天)을 쏘아 맞추게 하
시고 가라사대 "이제 구천을 맞췄노라" 하시고 또 말씀을
잇기를 "고부 돈으로 약방을 수리한 것은 선인포전(仙人布
氈)의 기운을 쓴 것이니라" 하셨도다.

지천(紙天):종이로 만든 하늘

선인포전(仙人布氈) 도를 닦아서 인간 세상을 떠나 자연과
벗하여 늙지 않고 오래 산다는 사람이 앉을 자리

공사 3장 4절

　상제께서 七月에 "예로부터 쌓인 원을 풀고 원에 인해서 생긴 모든 불상사를 없애고 영원한 평화를 이룩하는 공사를 행하리라. 머리를 긁으면 몸이 움직이는 것과 같이 인류 기록의 시작이고 원(冤)의 역사의 첫 장인 요(堯)의 아들 단주(丹朱)의 원을 풀면 그로부터 수천 년 쌓인 원의 마디와 고가 풀리리라. 단주가 불초하다 하여 요가 순(舜)에게 두 딸을 주고 천하를 전하니 단주는 원을 품고 마침내 순을 창오(蒼梧)에서 붕(崩)케 하고 두 왕비를 소상강(瀟湘江)에 빠져 죽게 하였도다. 이로부터 원의 뿌리가 세상에 박히고 세대의 추이에 따라 원의 종자가 퍼지고 퍼져서 이제는 천지에 가득 차서 인간이 파멸하게 되었느니라. 그러므로 인간을 파멸에서 건지려면 해원공사를 행하여야 되느니라"고 하셨도다.

평화:전쟁이나 갈등이 없이 평온함

기록 :주로 후일에 남길 목적으로 어떤 사실을 적음

원의 종자란 원망의 씨앗을 의미한다.

파멸 :돌이킬 수 없을 정도로 파괴되어 멸망함

해원공사 :가슴속에 맺혔던
원통함을 푸는 공사

공사 3장 5절

또 상제께서 가라사대 "지기가 통일되지 못함으로 인하여 그 속에서 살고 있는 인류는 제각기 사상이 엇갈려 제각기 생각하여 반목 쟁투하느니라. 이를 없애려면 해원으로써 만고의 신명을 조화하고 천지의 도수를 조정하여야 하고 이것이 이룩되면 천지는 개벽되고 선경이 세워지리라"하셨도다.

지기: 땅의 기운
통일 :나누어진 것을 하나로 합침
사상 :사회, 정치, 인생 등에 대한 일정한 견해나 생각
생각 :헤아리고 판단하고 인식하는 것 따위의 정신 작용
반목 :서로 사이가 좋지 않아 미워하거나 대립함
쟁투 :서로 다투며 싸움
해원 :가슴속에 맺혔던 원통함을 풂
만고 :오랜 세월을 통해 변함이나 유례가 없음
신명 :하늘과 땅의 신령
조화 :그 내막이나 이치를 알 수 없을 정도로
신통하거나 야릇한 일. 또는 그것을 나타나게 하는 재간
천지 :사람이 사는 세상의 영역

도수 :거듭하는 횟수
조정 :어떤 기준이나 실정에 맞도록 조절하여 정돈함
개벽 :새로운 시대가 시작되거나 새로운
상황이 생기는 것을 비유적으로 이르는 말
선경 :신선이 산다는 경치가 좋고 그윽한 곳

공사 3장 6절

　상제께서 각 처에서 정기를 뽑는 공사를 행하셨도다. 강산 정기를 뽑아 합치시려고 부모산(父母山)의 정기부터 공사를 보셨도다. "부모산은 전주 모악산(母岳山)과 순창(淳昌) 회문산(回文山)이니라. 회문산에 二十四혈이 있고 그 중에 오선위기형(五仙圍碁形)이 있고 기변(碁變)은 당요(唐堯)가 창작하여 단주를 가르친 것이므로 단주의 해원은 오선위기로부터 대운이 열려 돌아날지니라. 다음에 네 명당(明堂)의 정기를 종합하여야 하니라. 네 명당은 순창 회문산(淳昌回文山)의 오선위기형과 무안(務安) 승달산(僧達山)의 호승예불형(胡僧禮佛形)과 장성(長城) 손룡(巽龍)의 선녀직금형(仙女織錦形)과 태인(泰仁) 배례밭(拜禮田)의 군신봉조형(群臣奉詔形)이니라. 그리고 부안 변산에 二十四혈이 있으니 이것은 회문산의 혈수의 상대가 되며 해변에 있어 해왕(海王)의 도수에 응하느니라. 회문산은 산군(山君), 변산은 해왕(海王)이니라" 하시고 상제께서 그 정기를 뽑으셨도다.

정기 :천지만물을 생성하는 근원이 되는 기운
부모산(父母山) :아버지와 어머니를 상징하는 산
우리나라의 부모산은
금강산과 한라산이다.
선천에는 지리산(여름하늘의 산)이
어머니 산이 되려 하였다.

기변(碁變) :바둑을 의미 한다.
바둑은 천지가 흐르는 원리를 의미한다.
네 명당은 사천왕을 의미하며
동서남북의 네 가지 사상의 본원을 의미한다.
최수운의 후신은 동
진묵의 후신은 북
이마두의 후신은 서
전명숙의 후신은 남을 의미한다.

오선위기형(五仙圍碁形) :다섯 사상이 진행 과정에서 급작스럽게
악화된 상황, 또는 파국을 맞을 만큼 위험한 고비
선녀직금형(仙女織錦形) :선녀가 비단을 짓다.
군신봉조형(群臣奉詔形) :많은 신하가 받들고 알린다.

24혈은 24절후와 상응하며 24가지 사상으로 표현된다.
크게 4개의 사상 속에 속해있으며
각기 다른 칠성의 기운을 내뿜는다.

산군(山君) :산의 임금
해왕(海王) :바다의 임금

공사 3장 7절

　상제께서 여름 어느 날에 황 응종의 집에서 산하의 대운을 거둬들이는 공사를 행하셨도다. 상제께서 밤에 이르러 백지로 고깔을 만들어 응종에게 씌우고 "자루에 든 벼를 끄집어내서 사방에 뿌리고 백지 百二十장과 양지 넉 장에 글을 써서 식혜 속에 넣고 인적이 없을 때를 기다려 시궁 흙에 파묻은 후에 고깔을 쓴 그대로 세수하라"고 명하시니 그는 명하신 대로 행하였더니 별안간 인당에 콩알과 같은 사마귀가 생겼도다. 응종이 그 이튿날 아침에 일어나 벼를 뿌린 것을 보았으나 한 알도 보이지 않고 없어졌도다.

산하 :산과 큰 내라는 뜻으로, 모든 자연을 통틀어 이르는 말
대운 :하늘과 땅 사이에 돌아가는 길흉화복(吉凶禍福)의 운수

공사 3장 8절

　이 도삼이 어느 날 동곡으로 상제를 찾아뵈니 상제께서 "사람을 해치는 물건을 낱낱이 세어보라" 하시므로 그는 범·표범·이리·늑대로부터 모기·이·벼룩·빈대에 이르기까지 세어 아뢰었도다. 상제께서 이 말을 들으시고 "사람을 해치는 물건을 후천에는 다 없애리라"고 말씀하셨도다.

:지리공사를 보시고

생명에 대한 공사를 보시었다.

공사 3장 9절

　상제께서 대흥리에서 三十장의 양지 책의 앞장 十五장마다 "배은망덕 만사신 일분명 일양시생(背恩忘德萬死神 一分明一陽始生)"을, 뒷장 十五장마다 "작지부지 성의웅약 일음시생(作之不止聖醫雄藥 一陰始生)"을 쓰고 경면주사와 접시 한 개를 놓고 광찬에게 가라사대 "이 일은 생사의 길을 정함이니 잘 생각하여 말하라"고 하시니 광찬이 "선령신을 섬길 줄 모르는 자는 살지 못하리이다"고 여쭈니 상제께서 말씀이 없으시다가 잠시 후에 "네 말이 가하다"하시고 접시를 종이에 싸서 주사(朱砂)를 묻혀 책장마다 찍으셨도다. "이것이 곧 마패(馬牌)라"고 이르셨도다.

배은망덕 만사신 일분명 일양시생(背恩忘德萬死神 一分明一陽始生)
:남에게 입은 은혜를 잊고 배반하는 큰 죽음을 주재하는 귀신 하나도 어긋남이 없이 확실하게 하나의 밝음으로 삶을 시작한다.

작지부지 성의웅약 일음시생(作之不止聖醫雄藥 一陰始生)
:계획하고 실천함을 그치지 아니하는 성스러운 의원이며 우수한 약을 가진 생의 신명은 반드시 감추어짐으로 삶을 시작한다.

선령신 : 선조의 영혼

마패(馬牌) :예전에, 암행어사의 신분을 나타내는 인장을 이르던 말

전명숙의 후신은 드러나고
진묵의 후신은 감추어진다는 의미이다.

공사 3장 10절

　상제께서 궤 두 개를 만들어 큰 것을 조화궤라 이름하고 동곡 약방에 두고 작은 것을 둔(遁)궤라 이름하고 공부하실 때에 七十二현(賢)의 七十二둔궤로 쓰시다가 신 경수의 집에 두셨도다.

조화궤 :그 내막이나 이치를 알 수 없을 정도로 신통하거나 야릇한 일. 또는 그것을 나타나게 하는 재간을 가진 물건을 넣기 위하여 네모나게 나무로 만든 그릇.

둔(遁) :숨다.

공사 3장 11절

　그 후에 응종이 상제의 분부를 받고 식혜 아홉 사발을 빚고 태인 신 경원의 집에 가서 새 수저 한 벌을 가져오고 단지 한 개를 마련하여 상제께 드리니 상제께서 식혜를 단지에 쏟아 넣으시니 단지가 꼭 차는지라. 또 상제께서 양지와 백지와 장지를 각각 준비하여 놓으시고 가라사대 "비

인복종(庇仁覆鍾)이 크다 하므로 북도수를 보노라. 북은 채가 있어야 하나니 수저가 북채라. 행군할 때 이 수저로 북채를 하여야 녹이 진진하여 떨어지지 아니하리라"하시고 양지와 백지와 장지를 각각 조각조각 찢으시고 조각마다 글을 써서 단지에 넣고 그 단지 입을 잘 봉하여 깨끗한 곳에 묻으셨도다.

비인복종(庇仁覆鍾)
:충청남도 서천군 비인에 있는
종을 엎어놓은 형국의 혈

공사 3장 12절

  상제께서 남쪽을 향하여 누우시며 덕겸에게 "내 몸에 파리가 앉지 못하게 잘 날리라"고 이르시고 잠에 드셨도다. 반 시간쯤 지나서 덕찬이 점심을 먹자고 부르기에 그는 상제의 분부가 있음을 알리고 가지 아니하니라. 덕찬이 "잠들어 계시니 괜찮을 것이라"고 말하기에 덕겸이 파리를 멀리 쫓고 나가려고 일어서니 상제께서 문득 일어나 앉으시며 "너는 밥을 얻어먹으러 다니느냐. 공사를 보는 중에 그런 법이 없으니 번갈아 먹으라"고 꾸짖으셨도다. 이 공사를 끝내시고 상제께서 양지에 무수히 태극을 그리고 글자를 쓰셨도다. 그리고 상제께서 덕겸에게 동도지(東桃枝)를 꺾어오라 하시며 태극을 세되 열 번째마다 동도지를 물고 세도록 이르시니 마흔아홉 개가 되니라. 상제께서 "맞았다.

만일 잘못 세었으면 큰일이 나느니라"고 말씀하시고 동도지를 들고 큰 소리를 지르신 뒤에 그 문축(文軸)을 약방에서 불사르시니라. 그 후 상제께서 다시 양지에 용(龍) 자 한 자를 써서 덕겸에게 "이것을 약방 우물에 넣으라" 하시므로 그가 그대로 하니 그 종이가 우물 속으로 가라앉았도다.

동도지(東桃枝) : 동쪽으로 뻗은 복숭아나무의 가지
문축(文軸) : 문장의 두루마기
용은 임금을 상징함

공사 3장 13절

상제께서 와룡리 신 경수의 집에서 공우에게 "너의 살과 나의 살을 떼어서 쓸 데가 있으니 너의 뜻이 어떠하뇨"고 물으시기에 그가 대하여 말하기를 "쓸 곳이 있으시면 쓰시옵소서" 하였도다. 그 후에 살을 떼어 쓰신 일은 없으되 다음날부터 공우가 심히 수척하여지는도다. 공우가 여쭈기를 "살을 떼어 쓰신다는 말씀만 계시고 행하시지 않으셨으나 그 후로부터 상제와 제가 수척하여지오니 무슨 까닭이오니까." 상제께서 "살은 이미 떼어 썼느니라. 묵은 하늘이 두 사람의 살을 쓰려 하기에 만일 허락하지 아니하면 이것은 배은이 되므로 허락한 것이로다"고 일러주셨도다.

묵은 하늘 :노천이며 여름하늘을 애기함
배은 :은혜를 저버림

공사 3장 14절

　상제께서 전주 봉서산(全州鳳棲山) 밑에 계실 때 종도들
에게 이야기를 들려주시니라. 김 봉곡(金鳳谷)이 시기심이
강한지라. 진묵(震默)은 하루 봉곡으로부터 성리대전(性理
大典)을 빌려 가면서도 봉곡이 반드시 후회하여 곧 사람을
시켜 찾아가리라 생각하고 걸으면서 한 권씩 읽고서는 길
가에 버리니 사원동(寺院洞) 입구에서 모두 버리게 되니라.
봉곡은 과연 그 책자를 빌려주고 진묵이 불법을 통달한 자
이고 만일 유도(儒道)까지 통달하면 상대할 수 없게 될 것
이고 또 불법을 크게 행할 것을 시기하여 그 책을 도로 찾
아오라고 급히 사람을 보냈도다. 그 하인이 길가에 이따금
버려진 책 한 권씩을 주워 가다가 사원동 입구에서 마지막
권을 주워 돌아가니라. 그 후에 진묵이 봉곡을 찾아가니
봉곡이 빌린 책을 도로 달라고 하는지라. 그 말을 듣고 진
묵이 그 글이 쓸모가 없어 길가에 다 버렸다고 대꾸하니
봉곡이 노발대발하는도다. 진묵은 내가 외울 터이니 기록
하라고 말하고 잇달아 한 편을 모두 읽는도다. 그것이 한
자도 틀리지 않으니 봉곡은 더욱더 시기하였도다.

봉서산(鳳棲山) :수컷봉이 사는산

성리대전(性理大典) :중국 남송의 주희가 집대성한 경전

유도는 문자에 통달하는 도이다.

공사 3장 15절

  그 후에 진묵이 상좌에게 "내가 八일을 한정하고 시해(尸解)로써 인도국(印度國)에 가서 범서와 불법을 더 익혀 올 것이니 방문을 여닫지 말라"고 엄하게 이르고 곧 입적(入寂)하니라. 봉곡이 이 사실을 알고 절에 달려가서 진묵을 찾으니 상좌가 출타 중임을 알리니라. 봉곡이 그럼 방에 찾을 것이 있으니 말하면서 방문을 열려는 것을 상좌가 말렸으나 억지로 방문을 열었도다. 봉곡은 진묵의 상좌에게 "어찌하여 이런 시체를 방에 그대로 두어 썩게 하느냐. 중은 죽으면 화장하나니라"고 말하면서 마당에 나뭇더미를 쌓아 놓고 화장하니라. 상좌가 울면서 말렸으되 봉곡은 도리어 꾸짖으며 살 한 점도 남기지 않고 태우느니라. 진묵이 이것을 알고 돌아와 공중에서 외쳐 말하기를 "너와 나는 아무런 원수진 것이 없음에도 어찌하여 그러느냐." 상좌가 자기 스님의 소리를 듣고 울기에 봉곡이 "저것은 요귀(妖鬼)의 소리라. 듣지 말고 손가락뼈 한 마디도 남김없이 잘 태워야 하느니라"고 말하니 진묵이 소리쳐 말하기를 "네가 끝까지 그런다면 너의 자손은 대대로 호미를 면치 못하리라" 하고 동양의 모든 도통신(道通神)을 거느리고 서양으로 옮겨 갔도다.

시해(尸解) :몸만 남기고 넋이 빠져나가서 신선이 됨
범서 :불교의 경전
요귀(妖鬼) :요사한 귀신
도통신(道通神) :사물의 깊은 이치를 깨달아 훤히 통하게 하는
신명

진묵이 도통문을 열어 조선에 문명을 일으키려 하였으나
유교의 음해로 인해 죽음을 당하여 동양의 모든 도통신을 거느
리고 서양으로 넘어갔다. 동양의 모든 도통신을 거느렸다 함은
진묵이 도통신들의 주벽을 의미한다.
그 후에 서양은 과학기술이 급속도로 발전하였으나 그곳은 명부
의 신이 지배하는 세상이여서 남을 이기기를 좋아하여 전쟁이
끊이지 아니하였다.

신명은 인간으로 다시 태어나야 하는데 도술신명의 화신인 진묵
이 그 일을 당한 후 일본의 도사들이 조선의 명당이란 명당의
지기를 막아 버리므로 성으로 서는 환생을 못하고 웅으로서의
환생만 가능하게 된 것이다.

옛날 황제가 붕한 이후에 아홉개의 솥이 천하에 퍼지게 되었는
데 그 솥을 가진 이 가 천하의 주인이 된다는 전설이 있었다.
삼국지의 조조 유비 손권이 각기 그 솥을 손에 넣은적이 있었다.
그 구정을 땅에 봉한 이가 강태공이다.

문왕이 주나라를 건국하고 강태공이 땅에 72기운을 봉하였다 .
72기운이란 24절후의 기운을 말하며 상원 중원 하원(과거 현재
미래)을 합한 기운이다. 구정을 땅에 봉하고 땅의 기운을 얻는
자가 천하를 얻는 자가 되었다.

그 후로 성 웅 이 갈라져 생명의 주인인 생신은 한번은 성인으로 한번은 웅으로 환생을 하면서 새 세상을 열어왔으며 지켜왔다.

그러나 이 일이 있는 이후로 진묵은 성으로서는 조선에 태어날 수가 없었던 것이다. 손가락 하나만이라도 있었으면 다시 태어날 수 있었던 것이다. 하나의 명당 터라도 남아있었으면 환생할 수 있었을 것이다.
그리하여 조선에 대동세계를 열수 있었을 것이다.
웅으로서 흥선 대원군으로 환생을 하였으나
그 대세를 극복하지 못하여 또 다시 실패를 하게 되었다.

상제께서는 천자인 그를 해원시켜 세상의 후천을 열게 하심이다. 그리하여 땅의 기운을 제자리로 돌려놓으심이고 하늘의 별자리를 제자리로 돌려놓으심이다. 해원으로서 신명들의 원하는 바를 먼저 풀어주시고 모든 신명들이 해원 후에 새로운 기틀을 만드심이다.

상원 중원 하원이 있으니 120년이 지난 지금 시점이 상제께서 풀어 놓으신 공사가 나오는 시점이며 인간개조가 되는 시점인 것이다.
사천왕의 후신은 항상 같은 시대에 그들이 가진 사상의 주인으로 환생을 하였으며 그들의 일을 하여왔다. 조선(道)의 주인이 되기 위해서 ....

조선이 의미는 천국을 의미하며 서양에서 애기하는 실낙원이다.
그리고 무극 이라함은 제자리에서 자신의 일을 만족하며 최선을 다하는 것을 의미한다. 비어있다는 의미가 아니다 그렇기 때문에 그 기운은 온 우주를 넘어서는 큰 기운이라는 것이다.

도통군자란 후천의 주역을 의미하며
제자리에서 그 일을 묵묵히 하는 자들이다.
남의 것을 탐하는 자가 아니라...
그 마음을 간직하고 지키고 있어야 후천에 갈수있는 인연이 주어질 것이다.

공사 3장 16절

  상제께서 일정한 법에 따라 공사를 보시지 않고 주로 종이를 많이 쓰시기에 어떤 사람이 그것을 가리켜 종이만 보면 사지를 못 쓴다고 비방하니라. 상제께서 그 말을 듣고 종도들에게 "내가 신미(辛未)생이라. 옛적부터 미(未)를 양이라 하나니 양은 종이를 잘 먹느니라"고 비방을 탓하지 않으셨도다.

비방 :남을 헐뜯고 비난하여 말함

공사 3장 17절

  경석이 상제의 명을 받들어 양지 二十장으로 책 두 권을 매니 상제께서 책장마다 먹물로 손도장을 찍고 모인 종도들에게 가라사대 "이것이 대보책(大寶冊)이며 마패(馬牌)이니라." 또 상제께서 한 권의 책명을 "의약복서 종수지문(醫藥卜筮 種樹之文)"이라 쓰시고 "진시황(秦始皇)의 해원 도수이니라" 하시고 한 권을 신 원일의 집 뒷산에 묻고 또 한 권을 황 응종의 집 뒤에 묻으셨도다.

대보책(大寶冊) : 임금의 도장이 찍힌 책

마패(馬牌) : 예전에 암행어사의 신분을 나타내는 인장을 이르던 말

의약복서 종수지문(醫藥卜筮 種樹之文)
: 병을 고치고 치료하는 운수의 시작을 알리는 글

진시황(秦始皇)의 해원
: 천하통일과 무병장수를 꿈꾸던 진시황(용마)의 해원

공사 3장 18절

상제께서 원일과 덕겸에게 "너희 두 사람이 덕겸의 작은 방에서 이레를 한 도수로 삼고 문밖에 나오지 말고 중국 일을 가장 공평하게 재판하라. 너희의 처결로써 중국 일을 결정하리라" 이르시니 두 사람이 명하신 곳에서 성심 성의를 다하여 생각하였도다. 이렛날에 원일이 불려가서 상제께 "청국은 정치를 그릇되게 하므로 열국의 침략을 면치 못하며 백성이 의지할 곳을 잃었나이다. 고서(古書)에 천여불취 반수기앙(天與不取反受其殃)이라 하였으니 상제의 무

소불능하신 권능으로 중국의 제위에 오르셔서 백성을 건지소서. 지금이 기회인 줄 아나이다"고 여쭈어도 상제께서 대답이 없으셨도다. 덕겸은 이레 동안 아무런 요령조차 얻지 못하였도다. 상제께서 "너는 어떠하뇨" 하고 물으시는 말씀에 별안간 생각이 떠올라 여쭈는지라. "세계에 비할 수 없는 물중지대(物衆地大)와 예악문물(禮樂文物)의 대중화(大中華)의 산하(山河)와 백성이 이적(夷狄…오랑캐)의 칭호를 받는 청(淸)에게 정복되었으니 대중화에 어찌 원한이 없겠나이까. 이제 그 국토를 회복하게 하심이 옳으리라 생각하나이다." 상제께서 무릎을 치시며 칭찬하시기를 "네가 재판을 올바르게 하였도다. 이 처결로써 중국이 회복하리라" 하시니라. 원일은 중국의 해원 공사에만 치중하시는가 하여 불평을 품기에 상제께서 가라사대 "순망즉치한(脣亡則齒寒)이라 하듯이 중국이 편안함으로써 우리는 부흥하리라. 중국은 예로부터 우리의 조공을 받아 왔으므로 이제 보은신은 우리에게 쫓아와서 영원한 복록을 주리니 소중화(小中華)가 곧 대중화(大中華)가 되리라" 일러 주셨도다.

보은신 :은혜를 갚는 신명

청나라는 신수 중 해치를 의미하며
금강산에 사는 사자를 의미한다.
물을 관장하는 신수이며 일심이 지극한 신수이다.
12지신에서는 개를 의미한다. 은혜를 갚는다는 것은
신세를 갚는다는 것이고 그 신세를 갚는다 함은
조선의 자리를 만들고 지켜준다는 의미이다.

공사 3장 19절

　종도들이 모여 있는 곳에서 어느 날 상제께서 "일본 사람이 조선에 있는 만고 역신(逆神)을 거느리고 역사를 하나니라. 이조 개국 이래 벼슬을 한 자는 다 정(鄭)씨를 생각하였나니 이것이 곧 두 마음이라. 남의 신하로서 이심을 품으면 그것이 곧 역신이니라. 그러므로 모든 역신이 두 마음을 품은 자들에게 이르기를 너희들도 역신인데 어찌 모든 극악을 행할 때에 역적의 칭호를 붙여서 역신을 학대하느뇨. 이럼으로써 저희들이 일본 사람을 보면 죄지은 자와 같이 두려워하니라"고 말씀하셨도다.

만고 역신(逆神)
:오랜 세월동안 나라나 임금에게 반역하여 왔던 신명
혈식천추도덕군자를 의미한다.(24절후의 후신들)

공사 3장 20절

　또 하루는 상제께서 공우에게 "태인 살포정 뒤에 호승예불(胡僧禮佛)을 써 주리니 역군(役軍)을 먹일 만한 술을 많이 빚어 놓으라" 이르시니라. 공우가 이르신 대로 하니라. 그 후에 상제께서 "장사를 지내 주리라"고 말씀하시고 종도들과 함께 술을 잡수시고 글을 써서 불사르셨도다. 상제께서 "지금은 천지에 수기가 돌지 아니하여 묘를 써도 발음이 되지 않으리라. 이후에 수기가 돌 때에 땅 기운이 발하리라"고 말씀하셨도다.

역군(役軍) :중요한 역할을 하는 사람
장사 :제사지내는 일
수기 :물의 기운

일본이 조선명당의 수기를 모두 막아버림

공사 3장 21절

또 어느 날 상제의 말씀이 계셨도다. "이제 천하에 물기운이 고갈하였으니 수기를 돌리리라"하시고 피란동 안씨의 재실(避亂洞安氏齋室)에 가서 우물을 대(竹)가지로 한 번 저으시고 안 내성에게 "음양이 고르지 않으니 재실에 가서 그 연고를 묻고 오너라"고 이르시니 그가 명하신 대로 재실에 간즉 재직이 사흘 전에 죽고 그 부인만 있었도다. 그가 돌아와서 그대로 아뢰니 상제께서 들으시고 "딴 기운이 있도다. 행랑에 가 보라"고 다시 안 내성에게 이르시니 내성은 가보고 와서 "행랑에 행상(行商)하는 양주가 들어 있나이다"고 아뢰니라. 그 말을 들으시고 상제께서 재실 청상에 오르셔서 종도들로 하여금 서천을 향하여 만수(萬修)를 크게 외치게 하시고 "이 중에 동학가사를 가진 자가 있느냐"고 물으시는도다. 그 중의 한 사람이 그것을 올리니 상제께서 책의 중간을 갈라 "시운 벌가 벌가 기측불원(詩云伐柯伐柯其則不遠)이라. 내 앞에 보는 것이 어길 바 없으나 이는 도시 사람이오. 부재어근(不在於近)이라. 목전의 일만을 쉽게 알고 심량 없이 하다가 말래지사(末來之事)가 같지 않으면 그 아니 내 한(恨)인가"를 읽으시니 뇌성이 대발하며 천지가 진동하여 지진이 일어나고 또한 화약내가 코를 찌르는도다. 모든 사람이 혼몽하여 쓰러지니라. 이들을 상제께서 내성으로 하여금 일으키게 하셨도다.

피란동 안씨의 재실(避亂洞安氏齋室)
:난리를 피하는 깨끗하고 부정을
타지 않는 편안함의 근본이 서린 집

대나무는 사천왕 중
현무를 상징한다.

행상(行商) :여기저기 돌아다니며 물건을 파는 일

양주 :서양에서 들여오거나 서양식 양조법으로 만든 술

시운 벌가 벌가 기측불원(詩云伐柯伐柯其則不遠) :시대에 이르메 도낏자루를 자름이여, 그 법칙이 멀리 있지 않구나.
진리는 멀리 있는 것이 아니라 바로 스스로 실천하는 가운데에 있음을 비유하는 말이다.

부재어근(不在於近) :보이는 것만 믿는 것은 도시사람이며
가까이 있지 아니함이라.

말래지사(末來之事) :눈에 보이는 아주 가까운 장래만 쉽게 알고
깊이 헤아림이 없이 하다가 끝에 오는 일이 같지
않으면 그 아니 내 한인가

공사 3장 22절

　상제께서 어느 날 고부 와룡리에 이르사 종도들에게 "이
제 혼란한 세상을 바루려면 황극신(皇極神)을 옮겨와야 한
다"고 말씀하셨도다. "황극신은 청국 광서제(淸國光緖帝)에
게 응기하여 있다" 하시며 "황극신이 이 땅으로 옮겨 오게
될 인연은 송 우암(宋尤庵)이 만동묘(萬東廟)를 세움으로부
터 시작되었느니라" 하시고 밤마다 시천주(侍天呪)를 종도
들에게 염송케 하사 친히 음조를 부르시며 "이 소리가 운
상(運喪)하는 소리와 같도다" 하시고 "운상하는 소리를 어
로(御路)라 하나니 어로는 곧 군왕의 길이로다. 이제 황극
신이 옮겨져 왔느니라"고 하셨도다. 이때에 광서제가 붕어
하였도다.

황극신(皇極神) :황제의 자리에 있는 신명

송 우암은 관음보살의 후신임

만동묘(萬東廟) :임진왜란 때 우리나라를 도와준 중국 명나라의
의종과 신종에게 제사를 지내기 위하여 세운 사당

운상(運喪) :상여를 메고 운반함

어로(御路) :임금이 거둥하는 길

공사 3장 23절

　그 후에 상제께서 응종이 돌아갔다가 다시 오는 것을 보
시고 말씀하시니라. "황천신(黃泉神)이 이르니 황건역사(黃
巾力士)의 숫대를 불사르리라" 하시고 갑칠로 하여금 짚
한 줌을 물에 축여 잘라서 숫대를 만들게 하고 그것을 화
로에 불사르셨도다.

황천신(黃泉神)
:사람이 죽은 다음 그 혼이 가서 산다는 세상의 신명

황건역사(黃巾力士) :힘이 세다고 하는 신장의 이름
숫대 :예전에, 수효를 셈하는 데 쓰던 물건

공사 3장 24절

　상제께서는 류 찬명으로 하여금 두루마리 종이에 二十八
수(宿) 자를 좌로부터 횡서하게 하시고 그 종이를 끊어서
자로 재니 한 자가 차거늘 이를 불사르셨도다.

공사 3장 25절

　하루는 공사를 행하시는데 양지에 글을 많이 쓰시고 종도들로 하여금 마음대로 그 양지를 자르게 한 후 차례로 한 쪽씩을 불사르시니 그 종이쪽지가 도합 三百八十三매라. 상제께서 그 수효가 모자라기에 이상히 여겨 두루 찾으시니 한 쪽이 요 밑에 끼어 있었도다.

공사 3장 26절

　어떤 대신(大臣)이 어명(御命)을 받고 그 첫 정사(政事)로서 장안(長安)에 있는 청루(靑樓)의 물정(物情)을 물었도다. 이것을 옳은 공사라고 상제께서 말씀하셨도다.

대신(大臣) :큰 신하

어명(御命) :임금의 명령을 이르던 말

정사(政事) :정치에 관계되는 일

장안(長安) :수도 또는 번화한 도시라는 뜻으로 이르는 말

청루(靑樓) :창녀나 창기를 두고 손님을 맞아 영업하는 집

물정(物情) :세상일이 돌아가는 실정이나 형편

공사 3장 27절

　어느 날 상제께서 몇 종도들과 함께 기차 기운을 돌리는 공사를 보셨도다. 상제께서는 약방에서 백지 한 권을 가늘게 잘라서 이은 후 한 끝을 집 앞에 서 있는 감나무의 높이에 맞춰서 자르고 그 끝을 약방의 문구멍에 끼워놓고 종이를 방 안에서 말아 감으시고 또 한편 원일은 푸른 소나무 가지를 태우고 부채로 부쳤도다. 이때 집이 몹시 흔들리니 종도들은 모두 놀라서 문밖으로 뛰어 나가니라. 상제께서는 종이를 다 감으신 후에 경학을 시켜 그것을 뒷간 보꾹에 달아매고 그 종이에 불을 지피게 하고 빗자루로 부치게 하시니 뒷간이 다 타 버리니라. 경학은 상제의 말씀에 따라 다 탔는가를 살피다가 한 조각이 뒷간 옆의 대가지에 걸려 있는 것을 보고 그것마저 태웠도다. 이때 상제께서 하늘을 바라보시고 "속하도다"고 말씀하시기에 종도들도 따라 하늘을 쳐다보았도다.
　햇무리가 서다가 한 쪽이 터지더니 남은 종이쪽지가 타는 데 따라 완전히 서는도다. 이것을 보시고 상제께서 "기차 기운을 돌리는 공사라"고 말씀하셨도다.

기차 : 기운을 움직이는 운거

소나무는 백호를 상징한다
대나무는 현무를 상징한다.

속하도다 : 꽤 빠르도다

햇무리 : 해의 둘레에 둥글게 나타나는 흰빛의 테

공사 3장 28절

　태을주가 태인 화호리(禾湖里) 부근 숫구지에 전파되어 동리의 남녀노소가 다 외우게 되니라. 상제께서 이 소문을 전하여 들으시고 "이것은 문 공신의 소치이니라. 아직 때가 이르므로 그 기운을 거두리라"고 말씀하시고 약방 벽상에 "기동북이 고수 이서남이 교통(氣東北而固守 理西南而交通)"이라 쓰고 문밖에 있는 반석 위에 그림을 그리고 점을 찍고 나서 종이에 태을주와 김 경흔(金京訴)이라 써서 붙이고 일어서서 절하며 "내가 김 경흔으로부터 받았노라" 하시고 칼·붓·먹·부채 한 개씩을 반석 위에 벌여 놓으셨도다. 상제께서 종도들에게 "뜻이 가는 대로 집으라" 하시니 류 찬명은 칼을, 김 형렬은 부채를, 김 자현은 먹을, 한 공숙은 붓을 집으니라. 그리고 상제께서 네 종도를 약방 네 구석에 각각 앉히고 자신은 방 가운데 서시고 "二七六 九五一 四三八"을 한 번 외우시고 종도 세 사람으로 하여금 종이를 종이돈과 같이 자르게 하고 그것을 벼룻집 속에 채워 넣고 남은 한 사람을 시켜 한 쪽씩 끄집어낼 때 "등우(鄧禹)"를 부르고 끄집어낸 종이를 다른 사람에게 전하게 하고 또 그 종이쪽을 받는 사람도 역시 "등우(鄧禹)"를 부르게 하고 다른 사람에게 전하면 받은 그 사람은 "청국지면(淸國知面)"이라 읽고 다시 먼저와 같이 반복하여

"마성(馬成)"을 부르고 다음에 "일본지면(日本知面)"이라 읽고 또 그와 같이 재삼 반복하여 "오한(吳漢)"을 부르고 다음에 "조선지면(朝鮮知面)"이라 읽게 하시니라. 二十八장과 二十四장을 마치기까지 종이쪽지를 집으니 벼룻집 속에 넣었던 종이쪽지가 한 장도 어기지 않았도다.

:문공신 종도에게 외선조인
청룡의 기운을 붙여 공사를 보심

소치 :어떠한 까닭으로 빚어진 바

기동북이 고수 이서남이 교통(氣東北而固守 理西南而交通) :
동과 북에 기운이 능히 지키고 있으니
서와 남은 사귀어 통하게 한다
(동과 북은 조선이고 서와 남은 미국과 일본을 의미)

칼은 일본을 붓은 대한민국을
먹은 북한을 부채는 미국을 의미한다.

공사 3장 29절

　상제께서 기유(己酉)년에 들어서 매화(埋火) 공사를 행하시고 四十九일간 동남풍을 불게 하실 때 四十八일 되는 날 어느 사람이 찾아와서 병을 치료하여 주실 것을 애원하기에 상제께서 공사에 전념하시는 중이므로 응하지 아니하였더니 그 사람이 돌아가서 원망하였도다. 이로부터 동남풍이 멈추므로 상제께서 깨닫고 곧 사람을 보내어 병자를 위안케 하시니라. 이때 상제께서 "한 사람이 원한을 품어도 천지 기운이 막힌다"고 말씀하셨도다.

매화(埋火) :불을 묻는 공사

해원이 완전히 끝나야 후천이 온다는 의미

공사 3장 30절

　상제께서 군산에 가셔서 공사를 보실 때 "지유군창지 사불천하허 왜만리 청만리 양구만리 피천지허 차천지영(地有群倉地使不天下虛　倭萬里淸萬里洋九萬里　彼天地虛此天地盈)"이라고 써서 불사르셨도다.

지유군창지 사불천하허 왜만리 청만리 양구만리 피천지허 차천지영(地有群倉地使不天下虛　倭萬里淸萬里洋九萬里　彼天地虛此天地盈)
:땅에는 무리를 이룬 땅이 있다
일본과 만리가 떨어져 있고
청나라와도 만리가 떨어져 있다.
그곳은 비어있고 저곳은 차있다.
(제주도를 의미함)

공사 3장 31절

　상제께서 무더운 여름날에 신방축 공사를 보시고 지기를

뽑으셨도다. 종도들이 상제께서 쓰신 많은 글을 태인 신방축의 대장간에 가서 풍굿불에 태웠나니라. 며칠 후에 상제께서 갑칠을 전주 김 병욱에게 보내어 세상의 소문을 듣고 오게 하셨도다. 갑칠이 병욱으로부터 일본 신호(神戶)에 큰 화재가 났다는 신문 보도를 듣고 돌아와서 그대로 상제께 아뢰니 상제께서 들으시고 가라사대 "일본의 지기가 강렬하므로 그 민족성이 탐욕과 침략성이 강하고 남을 해롭게 하는 것을 일삼느니라. 옛적부터 우리나라는 그들의 침해를 받아 왔노라. 이제 그 지기를 뽑아야 저희의 살림이 분주하게 되어 남을 넘볼 겨를이 없으리라. 그러면 이 강산도 편하고 저희도 편하리라. 그러므로 내가 전날 신방축 공사를 보았음은 신호(神戶)와 어음이 같음을 취함이었으니 이제 신호에 큰 불이 일어난 것은 앞으로 그 지기가 뽑힐 징조이로다"고 하셨도다.

신방축 :물이 넘치거나 치고 들어오는 것을 막기 위하여 세운 둑

어음 :말의 소리

공사 3장 32절

　하루는 상제께서 경학의 집에서 사지를 오려 내는 듯이 백지(白紙)를 두 기장으로 오려 벽에 붙이고 물을 뿜으시니 빗방울이 떨어지는지라. 그리고 청수 한 동이를 길어 오게

하고 그 동이 물 한 그릇을 마시다가 남은 물을 다시 동이에 붓고 모인 여러 종도들에게 그 동이물을 한 그릇씩 마시게 하셨도다.

공사 3장 33절

　　상제께서 하루는 무당 도수라 하시며 고부인(高夫人)에게 춤을 추게 하시고 친히 장고를 치시며 "이것이 천지(天地) 굿이니라" 하시고 "너는 천하 일등 무당이요 나는 천하 일등 재인이라. 이 당 저 당 다 버리고 무당의 집에서 빌어야 살리라"고 하셨도다.

무당 :귀신을 섬겨 굿을 하고
길흉화복을 점치는 일에 종사하는 여자

고부인 에게는 외선조의 기운을
상제님은 직선조의 기운을 써서 공사를 보심

재인 :재주가 있는 사람

공사 3장 34절

　　또 어느 날 상제께서 종도들에게 "세상 사람들이 절후문(節候文)이 좋은 글인 줄을 모르고 있나니라. 시속 말에 절후(節候)를 철이라 하고 어린아이의 무지 몰각한 것을 철부지라 하여 어린 소년이라도 지각을 차린 자에게는 철을 안다 하고 나이 많은 노인일지라도 몰지각하면 철부지한 어린아이와 같다 한다"고 말씀하셨도다.

절후문(節候文) :한 해를 스물넷으로 나눈, 기후의 표준점이 적힌 문장

철부지 :사리를 분별하는 지각이 없어 보이는 어리석은 사람

공사 3장 35절

상제께서 하루는 구릿골에서 밤나무로 약패(藥牌)를 만들어 패면(牌面)에다 "만국의원(萬國醫院)"이라고 글자를 새겨 그 글자 획에다 경면주사(鏡面朱砂)를 바르시고 "이 약패를 원평(院坪) 길거리에 갖다 세우라"고 공우(公又)에게 명하셨도다. 공우가 약패를 갖고 원평으로 가려고 하니라. 상제께서 가라사대 "이 약패를 세울 때에 경관이 물으면 대답을 어떻게 하려 하느뇨" 하시니 공우 여쭈길 "만국의원(萬國醫院)을 설치하고 죽은 자를 재생케 하며 눈먼 자를 보게 하고 앉은뱅이도 걷게 하며 그 밖에 모든 질병을 다 낫게 하리라고 하겠나이다"고 아뢰니 "네 말이 옳도다. 그대로 시행하라" 하시고 그 약패를 불사르셨도다.

만국의원(萬國醫院) :세계의 모든 나라의 병을 고치는 곳
병의 근원은 무도함에서 온다.

공사 3장 36절

　상제께서 김 형렬의 집에 이르시니 형렬이 식량이 떨어져서 손님이 오는 것을 괴롭게 여기는 기색이 보이므로 가라사대 "개문납객(開門納客)에 기수기연(其數其然)이라 하나니 사람의 집에 손님이 많이 와야 하나니라"하셨도다.

공사 3장 37절

　상제께서 六월 어느 날 천지공사를 마치신 후 "포교 오십년 공부종필(布敎五十年工夫終畢)"이라 쓰신 종이를 불사르시고 종도들에게 가라사대 "이윤(伊尹)이 오십이 지사십구년지비(五十而知四十九年之非)를 깨닫고 성탕(成湯)을 도와 대업을 이루었나니 이제 그 도수를 써서 물샐틈없이 굳게 짜 놓았으니 제 도수에 돌아 닿는 대로 새 기틀이 열리리라"하셨도다.

포교(布敎)
:어떤 종교의 교리를 널리 알리고 교도를 모집하는 일

공부종필(工夫終畢) :배우고 익힘을 마친다

오십이 지사십구년지비(五十而知四十九年之非)
:오십이 되어서 사십 구년이 그릇됨을 알다.

성탕(成湯) :외선조의 후신

공사 3장 38절

　다시 말씀을 계속하시기를 "九년간 행하여 온 개벽공사를 천지에 확증하리라. 그러므로 너희들이 참관하고 확증을 마음에 굳게 새겨 두라. 천지는 말이 없으니 뇌성과 지진으로 표명하리라." 상제께서 모든 종도들이 지켜보는 가운데 글을 써서 불사르시니 별안간 천둥 치고 땅이 크게 흔들렸도다.

확증 :확실히 증명함
뇌성 :천둥이 칠 때 나는 소리
지진 :땅속에서의 화산 활동, 단층 운동, 지하수 침식 따위로 지각이 일정한 기간 동안 갑자기 흔들리며 움직이는 것

공사 3장 39절

　상제께서 공사를 행하실 때 대체로 글을 쓰셨다가 불사르시거나 혹은 종도들에게 외워 두도록 하셨도다.
　天下自己神古阜運回
　天下陰陽神全州運回
　天下通情神井邑運回
　天下上下神泰仁運回
　天下是非神淳昌運回
　佛之形體仙之造化儒之凡節

道傳於夜天開於子　轍環天下虛靈
教奉於晨地闢於丑　不信看我足知覺
德布於世人起於寅　腹中八十年神明

厥有四象包一極　九州運祖洛書中
道理不暮禽獸日　方位起萌草木風
開闢精神黑雲月　遍滿物華白雪松
男兒孰人善三才　河山不讓萬古鍾
龜馬一道金山下　幾千年間幾萬里
胞連胎運養世界　帶道日月旺聖靈

元亨利貞道日月　照人腸腑通明明
經之營之不意衰　大斛事老結大病
天地眷佑境至死　慢使兒孫餘福葬

面分雖舊心生新　只願急死速亡亡
虛面虛笑去來間　不吐心情見汝矣
歲月如流劍戟中　往劫忘在十年後
不知而知知不知　嚴霜寒雪大洪爐

"正心修身齊家治國平天下　爲天下者不顧家事
桀惡其時也湯善其時也天道敎桀於惡天道敎湯於善
桀之亡湯之興在伊尹"

"束手之地葛公謀計不能善事
瓦解之餘韓信兵仙亦無奈何"

我得長生飛太淸　衆星照我斬妖將
惡逆摧折邪魔驚　躡罡履斗濟九靈
天回地轉步七星　禹步相催登陽明
一氣混沌看我形　唵唵急急如律令

:온 세상의 자신을 나타내는
신명은 고부에서 돌아다니며
온 세상의 음과 양을
나타내는 신명은 전주에서 돌아다니며
온 세상의 마음을 주고받는
신명은 정읍에서 돌아다니며
온 세상의 높고 낮음을 주관하는
신명은 태인에서 돌아다니며
온 세상의 옳고 그름을 밝혀 가리는
신명은 순창에서 돌아다닌다.
부처의 몸이고 신선의 조화이며
선비가 만드는 질서이다.

道를 전하는 것은 하늘이 열리는 자시이다.
천하를 마차로 주유하여도 모두 다 허령이다.
교를 받드는 것은 새벽에 땅이 열리는 축시이다.
믿지 못하겠으면 나의 발을 보고서 알아서 깨우치라는 뜻이다.
덕을 펴는 것은 세상 사람들이 일어나는 인시이다.
어머니 뱃속에서의 팔십년 신명이다.

네 가지의 형상(사천왕)이 한쪽 끝을 감싸고 있다.
아홉 개의 나라의 근본은 거북(현무)의 등에 있는

문양 안에 있다.

도리가 저물지 않으나 인간으로서
할 수 없는 추잡하고
나쁜 행실을 하는 사람들의 나날들이다.

자리의 싹틈은 풀과 나무에 바람일 듯 하리라.
새로운 시대의 시작을 생각하고 판단하는 것은
검은 구름에 가려진 달이니
물질의 화려함에 꽉 차 있어도 소나무(칠성)위의 흰 눈이다.

장부 뉘라서 천지인을 좋게 다스리리
자연은 어기지 않고 오래된 "종"이다.
현무와 천마(성과 웅)가 하나의 도가 되어
가을산 아래에 있다.

오랜 세월동안 한없이 끝없는 길을
생각하고 생각하여 사물의 근본을 찾은 연후에
온 세상에 이치를 밝히리라.

道의 띠를 두루는 것은 (도통자리)
일월(명부와 칠성)이니
성스러운 신령을 왕성하게 하리라.

원형이정(인의예지)의 道는 해와 달(명부와 칠성)이니
사람의 오장육부를 밝혀 밝게 통하게 함이라.
건강하려고 노력해도 뜻하지 않게 쇠해지고
많은 곡식으로 노구를 섬겨도 끝내는 큰 병이 생겼다.

천지가 돌보고 도와도 마침내 죽음에 이르러서
이러한 현상이 번져서 자손들을
약하게 하여 복을 장례하는 것만 남았다.

얼굴을 봐야 옛 마음이 새로워지는데
다만 빨리 죽어서 속히
사라지고 망하기만을 바라는 구나
가면과 거짓 웃음으로 거래하는 사이에
마음의 정은 토하지 않고 남만 드려다 본다.

전쟁 중의 세월은 흐르는 물과 같아서
빼앗김이 지나가고 잊음이 있고
십년이 지난 후에
모르는 것을 알았지만 알면서도 모르는 듯
큰 화로에 엄한 서리와 차가운 눈이 녹듯 하리라.

마음을 바르게 한 연후에 몸을 닦고
그 연후에 집안을 다스려 바로 잡으며
그 연후에 나라를 다스리고
그 연후에 천하를 평정하느니
천하를 위해 일하는 자는
집안일을 돌아볼 수 없느니라.
걸이 악을 행한 것도 그 때가 있으며
탕이 선을 행한 것도 그 때가 있다.
하늘의 도가 걸에게 악을 가르쳤고
하늘의 도가 탕에게 선을 가르쳤다.
걸 왕이 망하고
탕 왕이 흥함은 이윤이 있음이다.

손을 쓸 수 없는 상황에서는
제갈 공명(칠성)의 계책으로도
일을 능히 풀어낼 수 없으며
무너지고 난 후에는
한신(명부)과 같은 병선이라도
역시 어찌할 수가 없게 된다.

내가 장생을 얻어 태청으로 날아가니
많은 별들이 나를 비추고 인도하여 요사한 장수를 베어죽이며
악독한 행위를 꺾어 누르니 사악한 마귀가 놀라 두려워한다.
북두성을 밟고 올라 구천의 신령들을 건지고
하늘을 돌고 땅을 구르며 칠성 위를 걸어
느린 걸음을 재촉하여 양명(제위)에 오른다.
천지에 가득찬 기운은 혼돈 속에서
내 모습을 지켜본다.
급히급히 율령과 같이 하소서

공사 3장 40절

　상제께서 어떤 공사를 행하셨을 때
　所願人道　願君不君　願父不父　願師不師
　有君無臣其君何立　有父無子其父何立
　有師無學其師何立　大大細細天地鬼神垂察
의 글을 쓰시고 이것을 "천지 귀신 주문(天地鬼神呪文)"이
라 일컬으셨도다.

:원하는 바는 사람의 도리이다.
임금이 되고자 하여도 임금이 되지 못하고
어버이가 되고자 하여도 어버이가 되지 못하며
스승이 되고자 하여도 스승이 되지 못한다.
임금이 있으나 신하가 없으면
그 임금은 어찌 설수 있겠으며
어버이가 있으되 따르는 자식이 없으면
그 어버이가 어찌 설수 있겠으며
스승이 있으되 배우는 학생이 없으면
그 스승은 어찌 설수 있겠는가?
크고 크게 자세하고 미세하게
천지신명은 굽어 살피소서.

천지 귀신 주문(天地鬼神呪文)
:하늘과 땅 아래에 있는
귀와 신을 부를 때 외는 말이나 글

공사 3장 41절

    상제께서 무신년에 "무내팔자 지기금지 원위대강(無奈八字至氣今至願爲大降)"의 글을 지으시니 이러하도다.
  欲速不達侍天主造化定永世不忘萬事知
  九年洪水七年大旱 千秋萬歲歲盡
  佛仙儒一元數六十 三合爲吉凶度數
  十二月二十六日再生身 ○○

또 무신년에 이런 글도 쓰셨도다.
　一三五七九
　二四六八十
　成器局 塚墓天地神 基址天地神
　運 靈臺四海泊 得體 得化 得明

사람의 타고난 운수나 분수가
어찌 없을 수 있겠는가?
한울님의 지극한 기운을
이제 크게 내려주시기를 바랍니다.

속히 하고자 하나 이르지 못하니
천주를 모시면 조화가 정해지고
영원토록 잊지 않으면 만사를 알게 된다.
구년간의 홍수와 칠년간의 가뭄
천만세의 세월이 다하도록
불 선 유의 일원의 수는 60이다.
세 개가 합하여 길흉의 도수가 된다.
십이월 이십육일 다시 태어나는 몸

1 3 5 7 9
2 4 6 8 10

무덤에 있는 천지의 신명들과
비석에 있는 천지의 신명들이
마음을 완성한다.

돌고 돌아

마음은 온 세상의
바다에 머물러서
몸을 얻고
조화를 얻고
밝음을 얻는다.

공사 3장 42절

　이해 섣달에 공사를 보실 때 "체면장(體面章)"을 지으셨도
다.
　維歲次戊申十二月七日
　道術　敢昭告于
　　惶恐伏地問安 氣體候萬死不忠不孝無序身泣 祝於君於父
於師氣體候大安千萬
　　　伏望伏望

대하는 도리를 쓴 문장

세월은 무신년 12월 7일입니다.
도술은 감히 아뢰옵니다.
황공하게도 땅에 엎드려 문안을 드립니다.

기체후

만 번 죽어 마땅하고 불충하고
불효하며 차례도 모르는 이 몸이 흐느낍니다.
비오나니 임금이며 아버지이며 스승이시여
그 몸과 기운이 오래도록 평안하기를 바랍니다.
엎드려 바라고 또 바랍니다.

공사3장은

여름의 주인인 단주의 기운을 땅에 묻는
공사를 보심이고 전 명숙(일본왕)과
최 수운(조선황후)의 해원공사를 보심이다.
그 후에 선인포전의 기운을 쓰시고
단주의 해원공사를 보심이다.
땅의 기운을 해원시키시고
그 근원을 뽑아 단주를 해원시키시고
네 명당의 기운을 뽑아 땅의 기운에 대적하는
바다의 기운을 쓰시는 공사를 보심이다.
인간에게 해를 끼치는 사물을 없애시는
공사를 보시고 생명의 신과 죽음의 신을
해원시키는 공사를 보심이다.
진묵대사와 김봉곡은 생과 사를
의미하고 진시황은 용마의 후신이다.
청국이 부흥하면서 조선에게 은혜를
갚게 하시고 일본과 24신명의
미래의 상황을 얘기하심이다.
천지의 수기를 돌리시고
황극신을 조선으로 돌아오게 하시고
견우와 직녀가 만나게 하신 후
만국 의원을 세우게 하심이다.
오십년 공부 종필로 공사를 마치신다.

천지신명이 기운이 움직이는 자리를 만드시고
유불선이 하나가 되는 후천의 진인을 만드신다.
천지가 창조되고 세계는 발전되어 있으나
거짓된 세상이다.
명부와 칠성이 한마음으로 후천의
도통자리를 만들고 성과 웅이 하나로
합쳐진 진인을 모신다.

본래 천지가 창조되고 명부와 칠성은 사람에게 복을 주어
오래살고 편안케 하는 것이 그들의 맡은 일인데 욕망에 사
로잡혀 중천 세상에 자신들의 세계를 세워 인간에게 윤회
의 겁을 살게 만들었다.
이제 천지도 바로 잡지 못할 만큼 병이 생겨 소생하기도
어려워졌다.

하나님께서 본인과 똑같은 마음을 가진 천자를 내려 보내
어 그들에게 인연을 내려 보내 주셨다. 하지만 그 인연을
자신들의 욕망으로 버려버린 그들은 남의 탓만 하면서 10
년의 세월을 보내버렸다.
마음을 바르게 하여 똑바로 보아라.
탕왕과 이윤이 있다.
이윤의 道가 나온다.

견우와 직녀가 만나 하나가 되니
명부와 칠성이 제자리를 찾는다.
그리고 진인이 도통을 이루어 제위에 오른다.

그 마음이 완성이 되어서 사해의
바다에 머물면서 도통을 이룬다.

하늘의 도와 땅의 술법은 천자에게 예를 다한다.

태초에 하늘이 있어 땅이 생겨나고
바람이 생겨나며 생명이 탄생하였다.
이를 동양에서는 무극의 세상이라고 하였다.
무극이란 서로 극함이 없는 세상을 의미한다.
그 무극의 세상에 생명이 탄생한다.
그 최초의 생명을 "생"의 신이라 한다.
천지 만물은 자신의 기운을 닮은 생명의 모습을 인간계인
하계로 발현하게 된다.
하늘의 기운이 땅을 통해 생명이 발하게 된 것이다.

그리고 천존의 형상과 마음이 똑같은 인간이
하계에 내려오게 되는데 이가 복희씨다.
조선에서는 단군 동양에서는 아반 서양에서는 아담
각 지역과 나라마다 부르는 이름이 다를 뿐이지
모두 같은 사람이다.
인류의 조상인 것이다.

세계는 평화로 왔다.
그 일이 있기 전까지 . . . 최초의 욕망의 시작 이였다.

중천에서 하계의 주인이 되길 원하였던 것이다.
하늘이 두 개로 갈라지고 네 개로 갈라지며
시간이 생겨나고 공간이 생겨났다.
무수한 생명들이 이 땅에 생겨나기 시작했고
천지와 그의 형상과 같은 인간은 욕망의 늪에
빠지게 된 것이다.
태극의 시작 이였다.

중천계에서 일이 생긴 후 하계에서는 그 기운이 발하여
그의 형상과 똑같은 이가 후신으로 태어나게 된다.
염제 신농씨이다.
여름 하늘의 주인...
땅의 도를 깨달아 문자를 만들고 농사의 시작을 알렸다.
윤회의 시작이였다.

중천계에서는 너도 나도 하계의 주인이 되려 하생하였다.
사계절이 생기고 열 두달이 생기며
이십사 절후가 생겨났다.
시간이 생겨나고 공간이 생겨났다.
하지만 하늘은 본디 주인이 있어
그 질서를 잡게 체계를 만들었었다.
하늘의 후신인 천자는 하계에서 통일을 이루고 또 나라를
세우고 민족을 지키면서 계속 세상을 지켜왔다.
동 서 남 북
열 두 개 의 나라
스물 네 개의 민족

삼천 개의 사상

....

여름의 세상은 뜨거웠다....

천상계에서의 역란(逆亂)이 있은 후
그 기운을 가진 이들은 각기 자신들만의 세계를 만들었다.
그리고 그 세계의 주인이 되려했다.

불가에서 이야기하는 삼라만상이 그런 세상이다.
하지만 천존과 똑같은 마음을 가진 신명이 만든 세계가
범천이고 도리천이며 도솔천이다.

천상계의 별들은 미래의 하계의 모습을 보여준다.
신명계에서 일어난 일은 나중에 하계에서
반드시 일어난다.
우리나라에는 금강산이 있어 천상계의
도솔천과 하나의 몸을 이룬다.

후천은 천지가 생기면서부터
이미 정해진 것이다.
자기 본연의 자리에서 최선을
다하면서 그 빛을 내는 것 ...

그것이 신의 경지에 오르는 것이고
성의 반열이 되는 것이며

부처의 자리에 오르는 것이다.
부질없는 욕망의 늪에서
부디 빠져나오기를...

중천계의 이야기는
신화나 전설에 많이 나와 있다.
그리고 우리가 잘 아는 각종 종교의
경전에도 많이 나와 있다.

증산선생께서는 환웅하나님 이시다.
도가에서는 구천응원 뇌성보화 천존이라 부르고
불가에서는 제석천이라 부르며
유가에서는 상제라 부르며
서가에서는 백 보좌 하느님이라 부른다.
최초의 원신과 한마음이시다.
천지의 주인이시다.

상계에는 환인 하나님이 계신다.
도가에서는 원시천존이라 부르며
불가에서는 비로자나불이라 부른다.
일심을 가진 자만이 그 광명을
볼 수 있다 하였다.
최초의 원신이시며 천지의
주인이시다.

하계에는 단군의 후신이 있다.

도가에서는 태상노군이라 부르며
불가에서는 아미타불이라 부르고
서가에서는 아담이라 부른다.
그리고 각 지역과 나라마다 부르는
이름이 다르다.
복희 아반 등 등 . . .
최초의 생명이며 인류의 조상이며
천지의 주인이시다.

세분은 하나요
또한 셋으로 나뉜다.

그리고 후천세계의 길을 증산선생께서
열어 주시었다.
道를 위해서...

세상 사람들에게 알린다.
이제 해원의 시대가 끝남을 알린다.
그리고 마지막 해원이 있음을 알린다.
지각 있는 선비들이나 도를 닦는 수도인 들이여
이제 미혹에서 벗어나서 진실 된 눈으로 道를
바라보기 바란다.

당신은 진정 "道"를 아십니까?

글을 마치며..

道를 공부한다는 것은
자신의 마음을 본다는 것이다.
보이지 않는 세계는 존재한다고
생각하면 보이게 되는 것이고
존재하지 않는다고 생각한다면
보이지 않는 것이다.
그 마음속에 무엇이 들어있느냐에 따라
그 사람이 모습이 변하게 된다.

대순 전경 속에 남아있는 부분도
많이 있으나 이 글속에 당신이 바라던
안경이 숨겨져 있으니 어느 누구가 보아도
해석이 가능하리라 본다.
다만 마음을 비우고 깨끗해져야 선명히 보일 것이다.

증산 선생께서 인류를 위해 내어 놓으신
상생의 대도를 깨닫고 이해하는 바대로
풀이해 놓았으니 인연이 되는 이들은
"道"를 바라보고 깨달음을 얻기를 바란다.

계기란 삶의 전환점이 되는 기회이다.
이 기회로 삶의 전환점을 맞이하기 바란다.

부디 바른 마음으로
이 글을 읽어 주기를 바란다.

에피소드

최초에 신계가 생겼을 때
모든 원시의 기운들은
서원을 세워 그 맹세를 지켜
그 세계를 만들었다.
서원이란 맹세와 서약이다.
원시천존이자 하늘과 세운 서원이자
자신의 마음속에 있는 본원에게
맹세한 것이다.
그로인해 중천에
그 세계가 만들어진다.
중천에 일어난 일은
하계에 반드시 일어난다.

아미타불(현무)의 서원

1. 내 불국토에는 지옥 아귀 축생등 삼악도가 없을 것.

2. 내 불국토에 태어나는 중생들은 다시 삼악도에 떨어질 염려가 없을 것.

3. 모두 몸에서 황금빛 광채가 날 것.

4. 한결 같이 훌륭한 몸을 가져 잘난 이, 못난이가 따로 없을 것.

5. 모두 숙명통을 얻어 백천억겁 이전의 과거사를 다 알게 될 것.

6. 모두 천안통을 얻어 백천억세계를 볼 수 있을 것.

7. 모두 천이통을 얻어 백천억 부처님의 설법을 들을 수 있을 것.

8. 모두 타심통을 얻어 백천억세계에 있는 중생들의 마음을 알게 될 것.

9. 모두 신족통을 얻어 백천억세계를 순식간에 통과 할 수 있을 것.

10. 번뇌의 근본인 아집을 일으키지 않을 것.

11. 금생에서 반드시 성불할 것.

12. 내 광명은 끝이 없어 백천억 불국토를 비추게 될 것.

13. 내 목숨은 한량이 없어 백천억겁으로도 셀 수 없을 것.

14. 내 불국토에는 무수한 성문들이 있을 것.

15. 태어나는 중생들의 목숨이 한량 없을 것.

16. 나쁜 일은 하지 않을 것.

17. 내 이름과 공적을 시방세계 부처님들이 창찬치 않은 분이 없을 것.

18. 지극한 마음으로 불국토에 태어나려는 이는 내 이름을 염하여 왕생하게 될 것.

19. 내 불국토에 태어나려는 중생들은 그들이 임종할 때에 내가 그들을 맞이하게 될 것.

20. 내 불국토에 태어나려는 중생들은 반드시 왕생하게 될 것.

21. 내 불국토에 태어나는 중생들은 32상의 몸매를 갖추게 될 것.

22. 다른 세계의 보살로서 내 불국토에 태어나는 이는 일 생보처라는 보살의 최고위에 이르게 될 것.

23. 내 불국토에 태어나는 중생들은 여러 부처님께 공양하게 될 것.

24. 내 불국토에 태어나는 중생들은 부처님께 공양하려 할 때 마음대로 공구를 얻게 될 것.

25. 내 불국토에 태어나는 중생들은 온갖 법을 설하게 될 것.

26. 내 불국토에 태어나는 중생들은 나라연과 같은 굳센 몸을 가지게 될 것.

27. 내 불국토에 태어나는 중생들이 쓰는 물건은 모두 아름답고 화려할 것.

28. 내 불국토에 태어나는 중생들은 보리수의 한량없는 빛을 보게 될 것.

29. 내 불국토에 태어나는 중생들은 변재(말하는 재주)와

지혜를 얻을 것.

30. 내 불국토에 태어나는 중생들은 모두 걸림 없는 지혜와 변재를 얻을 것.

31. 내 불국토는 한없이 맑고 깨끗하여 부처님 세계를 비추어 볼 것.

32. 내 불국토는 온갖 보배와 향기가 이루어 질 것.

33. 중생들이 내 광명에 비추기만 하여도 그 몸과 마음이 부드럽고 깨끗해 질 것.

34. 중생들이 내 이름을 듣기만 하여도 중생법인과 깊은 지혜를 얻게 될 것.

35.여자들이 내 이름을 듣기만 하여도 다시는 여인의 몸을 받지 않고 성불할 수 있을 것.

36. 보살들이 내 이름을 듣기만 하여도 죽은 뒤 항상 청정한 행을 닦아 필경에 성불하게 될 것.

37. 천인이나 인간들이 내 이름을 들으면 모든 천인과 인간의 공경을 받게 될 것.

38. 내 불국토에 태어나는 중생들은 아름다운 옷이 저절로

입혀질 것.

39. 내 불국토에 태어나는 중생들은 즐거움만을 받고 다시는 번뇌와 집착이 일어나지 않을 것.

40. 내 불국토에 태어나는 중생들은 시방세계 여러 부처님들의 정토를 보게 될 것.

41. 내 이름을 들은 보살은 성불할 때까지 육근이 원만하여 불구자가 되지 않을 것.

42. 내 이름을 들은 보살은 해탈삼매를 얻고 한량없는 부처님께 공양하면서 이 삼매를 잃지 않을 것.

43. 내 이름을 들은 보살은 죽은 뒤 부귀한 가정에 다시 태어나게 될 것.

44. 내 이름을 들은 보살은 보살행을 닦아 선근공덕을 갖추게 될 것.

45.내 이름을 들은 보살은 한량없는 부처님을 한꺼번에 뵈올 수 있는 평등한 삼매를 얻고 성불할 때까지 수없는 부처님을 만나게 될 것.

46.내 불국토에 태어나는 보살들은 소원대로 듣고 싶은 법문을 듣게 될 것.

47. 내 이름을 듣는 보살은 불퇴전지를 얻게 될 것.

48. 내 이름을 듣는 보살은 첫째 설법을 듣고 깨달을 것, 둘째 진리에 수순하여 깨달을 것, 셋째 나지도 않고 죽지도 않는 도리를 깨달아 부처님의 가르침에서 물러나지 않을 것.

약사여래(청룡)의 서원

1 . 몸이 찬란하고 상호가 원만하여
부처님과 같은 모습을 갖추게 하리라

2 . 몸이 깨끗하며 덕이 넘치고 빛나
어둠에 있던 중생이 그 빛을 보고 원하는 바를 이루게 하리라

3 . 한량없는 지혜와 방편으로 원하는 것들을 빠짐없이 성취되게 하리라

4 . 삿된 도를 닦는 이들을 정법으로 이끌어
대승에서 편안히 머물게 하리라

5 . 계를 범하더라도 참회하여 나쁜 세계에 떨어지지 않게 하리라

6 . 몸의 온갖 질병에서 벗어나
온전한 몸을 갖추게 하리라

7 . 병에 시달리나 집도 약도 돌봐주는 이가 없어도 안락을 얻어 깨달음을 이루게 하리라

8 . 여인이기 때문에 온갖 고통을 받으면 대장부의 몸으로 바뀌어 성불하게 하리라

9 . 삿된 소견과 사상에 빠졌더라도 정견을 이루어 성불의
길에 들어서게 하리라

10 . 옥고를 치루거나 속 태우는 재난에서 길이 벗어나 복
덕과 위신력을 갖추게 하리라

11 . 굶주림에서 벗어나 마음대로 배불리 먹으며
진리 안에서 즐겁게 하리라

12 . 뜻하는 대로 옷과 장엄구를 모두 갖추어 언제나 풍족
하게 하리라

관세음보살(백호)의 서원

1. 일체법을 알고

2. 지혜의 눈을 얻고

3. 일체 중생을 제도하고

4. 좋은 방편을 얻어

5. 반야선을 타고

6. 고해를 건너고

7. 계정도를 얻고

8. 원적산에 올라

9. 함이 없는 집에 들어

10. 법성신과 같게 하겠습니다.

11. 내가 만일 도산을 향하면 도산이 저절로 꺾어지고

12. 내가 만일 화탕을 향하면 화탕이 저절로 소멸하고

13. 내가 만일 지옥을 향하면 지옥이 저절로 고갈하고

14. 내가 만일 아귀에 나아가면 아귀가 저절로 포만하고

15. 내가 만일 수라를 향하면 악심이 저절로 조복되고

16. 내가 만일 축생을 향하면 저절로 대 지혜를 얻게 하소서.

지장보살(주작)의 서원

미래세계가 다 할 때까지 지옥에 빠진 중생이 있으면 마땅히 널리 방편을 베풀어서 육도중생, 지옥, 아귀, 축생, 아수라, 인간, 천상의 고통 받는 중생을 한사람도 빠짐없이 해탈하게 한 후 성불할 것이옵니다.

보현보살(청호)의 서원

1. 모든 부처님께 예배하고 공경하겠습니다.

2. 모든 부처님을 찬양하겠습니다.

3. 널리 공양하겠습니다.

4. 업장을 참회하겠습니다.

5. 남이 짓는 공덕과 공양을 기뻐하겠습니다.

6. 설법해주기를 청하겠습니다.

7. 부처님께 이 세상에 오래 계시기를 청하겠습니다.

8. 항상 부처님을 따라 배우겠습니다.

9. 항상 중생을 수순하겠습니다.

10. 지은 바 모든 공덕을 널리 중생에게 회향하겠습니다.

문수보살의 서원

1. 모든 중생이 부처님의 가르침을 성취하게 하고 갖가지 방편으로 불도에 들게 하겠습니다.

2. 문수를 비방하고 미워하고 죽음을 주는 중생이라도 모두 보리심을 내게 하겠습니다.

3. 문수를 사랑하거나 미워하거나, 깨끗한 행을 하거나 나쁜 짓을 하거나 모두 보리심을 내게 하겠습니다.

4. 문수를 속이거나 업신여기거나 삼보(三寶)를 비방하며 교만한 자들이 모두 보리심을 내게 하겠습니다.

5. 문수를 천대하고 방해하며 구하지 않는 자까지 모두 보리심을 내게 하겠습니다.

6. 살생을 업으로 하는 자나 재물에 욕심이 많은 자까지 모두 보리심을 내게 하겠습니다.

7. 모든 복덕을 부처님의 보리도에 회향하고 중생이 모두 복을 받게 하며, 모든 수행자에게 보리심을 내게 하겠습니다.

8. 육도(지옥·아귀·축생·수라·하늘·인간세상)의 중생과 함께 나서 중생을 교화하며 그들이 보리심을 내게 하겠습니다.

9. 삼보를 비방하고 악업을 일삼는 중생들이 모두 보리심을 내어 위없는 도를 구하게 하겠습니다.

10. 자비희사와 허공같이 넓은 마음으로 중생을 끊임없이 제도하여 보리를 깨닫고 정각을 이루게 하겠습니다.

에피소드 1

원시에 모든 시원들은 서원을 꿈꾸었다.

그 원에 따라 불 보살의 경지에 오른 것이고,
과거의 씨앗이 지금 현실로 나타나는 것이다.

불 보살들이 모여 반야 용선도를
타고 후천으로 넘어간다.

불경에서도 과거 현재 미래의
모습을 보여 준다.

일심을 가져 불 보살의
경지에 오른 사람만이
탈수 있다는 후천으로
가는 배 . . .

조선 (朝鮮) . . .

당신도 그 배에 탈수 있기를 . . .

에피소드 2

서양에서는 솔로몬 왕이
72 악마를 봉인하였다 한다.
72 악마는 24절후의 신명을 말함이고
상원 중원 하원의 합한 수를 의미한다.
서양의 전설과 동양의
전설이 비슷함을 알 수 있다.

아담의 자식들이 세상에 퍼지고
노아의 자식들이 세상에 퍼진다.

성경에도 과거 현재 미래가 공존한다.

미래의 인간의 모습이
어찌 성경에 있는
진리로만 존재 하겠는가?

진리란 어느 누구가 보아도
이해가 되어야 한다.

세계는 하나가 될 것이고
우리는 그 세계의
중심에 있을 것이다.

에피소드 3

연금술과 연단술

연금술은 보여 지는 사실은 바탕으로
새로운 것을 창조하는 것이다.
서양의 도를 바탕으로 만들어졌다.

연단술은 자신의 내면의 보여 지지 않는
부분을 바탕으로 만들어졌다.
동양의 도를 바탕으로 만들어졌다.

제련된 황금을 만들기 위해
그리고 완벽한 인간이 되기 위해서 …
불로장생을 꿈꾸고 마법이나
도술을 꿈꾸었다.

제련된 황금은 원석보다
완벽하다고 한다.

동양이나 서양이나
어떤 무언가를 완성하기 위해
꿈을 꾸고 상상을 한다는 것
그리고 하루하루

목표를 향해 끝없이 도전하는 것
그 욕망과 열정이 있어 이 세상은
발전되어 왔던 것이다.

후천이란 !
욕망과 열정이 사라지는 세상이 아니다.
다만 그릇된 욕망이나 그릇된 열정이
사라지는 세상일 뿐이다.

예전에 새로운 창조를 원하던
연금술사들처럼...
그리고 불로장생을 꿈꾸고
신선의 경지에 오르기 위해
연단술을 사용했던 도인들처럼...

자신의 정말 좋아하는 일에 진실 되게
열망하고 그 생각이 신에 미쳐서
신에 통하고 영감을 얻고
새로운 것을 창조하고
인류와 천지자연을 위해
꿈을 이루는 것 ...

그리고 그 자리에 당신이 있는 것이다.
이 얼마나 상상만 하여도
행복하고 즐거운 일이 아닌가!

후천의 도통군자란 남의 자리를
탐하거나 빼앗는 이들이 아니다.
제 자리에서 가장 아름다운 모습이 되는 것이다.
내면을 수양하고 외면을 밝히어서
그 위치에서 가장 빛나는 별이 되고
그 별들이 모여 별자리가 되며
은하가 되며 우주가 된다.

우주는 같은 목표를 위해 계속 나아갈 것이고
그 우주는 영원히 아름답고
행복할 것이다 ...

글쓴이

진묵(震默)

and

Noah

"道"를 아십니까?

발 행 | 2024년 03월 11일
저 자 | 진묵(震默)
펴낸이 | 한건희
펴낸곳 | 주식회사 부크크
출판사등록 | 2014.07.15.(제2014-16호)
주 소 | 서울시 금천구 가산디지털1로 119, SK트윈타워 A동 305호
전 화 | 1670 - 8316
이메일 | info@bookk.co.kr

ISBN | 979-11-410-7599-6

www.bookk.co.kr
ⓒ 진묵(震默) 2024